QUI SONT
CES HOMMES
HEUREUX?

Infographie : Chantal Landry

Catalogage avant publication de Bibliothèque et Archives
nationales du Québec et Bibliothèque et Archives Canada

Dallaire, Yvon, 1947-, auteur

    Qui sont ces hommes heureux? : traité de psychologie des
hommes heureux en amour / Yvon Dallaire.

    Réédition revue et augmentée.

    Édition originale : Québec : Option Santé édition, 2010.

    ISBN 978-2-7640-2686-1

    1. Femmes - Psychologie. 2. Relations entre hommes et
femmes. 3. Couples. I. Titre.

HQ1208.D335 2018   155.3'33   C2018-941107-4

08-18

Imprimé au Canada

© 2018, Les Éditions Québec-Livres,
division du Groupe Sogides inc.,
filiale de Québecor Média inc.
(Montréal, Québec)

Tous droits réservés

Dépôt légal : 2018
Bibliothèque et Archives nationales du Québec

ISBN (version papier) 978-2-7640-2686-1
ISBN (version numérique) 978-2-7640-3558-0

DISTRIBUTEURS EXCLUSIFS :

Pour le Canada et les États-Unis :
MESSAGERIES ADP inc.*
Téléphone : 450-640-1237
Internet : www.messageries-adp.com
*. filiale du Groupe Sogides inc.,
. filiale de Québecor Média inc.

Pour la France et les autres pays :
INTERFORUM editis
Téléphone : 33 (0) 1 49 59 11 56/91
Service commandes France Métropolitaine
Téléphone : 33 (0) 2 38 32 71 00
Internet : www.interforum.fr
Service commandes Export – DOM-TOM
Internet : www.interforum.fr
Courriel : cdes-export@interforum.fr

Pour la Suisse :
INTERFORUM editis SUISSE
Téléphone : 41 (0) 26 460 80 60
Internet : www.interforumsuisse.ch
Courriel : office@interforumsuisse.ch
Distributeur : OLF S.A.
Commandes :
Téléphone : 41 (0) 26 467 53 33
Internet : www.olf.ch
Courriel : information@olf.ch

Pour la Belgique et le Luxembourg :
INTERFORUM BENELUX S.A.
Téléphone : 32 (0) 10 42 03 20
Internet : www.interforum.be
Courriel : info@interforum.be

Gouvernement du Québec – Programme de crédit d'impôt pour
l'édition de livres – Gestion SODEC –
www.sodec.gouv.qc.ca

L'Éditeur bénéficie du soutien de la Société de développement
des entreprises culturelles du Québec pour son programme
d'édition.

Conseil des Arts   Canada Council
du Canada   for the Arts

Nous remercions le Conseil des Arts du Canada de l'aide accordée
à notre programme de publication.

Financé par le gouvernement du Canada
Funded by the Government of Canada   Canadä

Nous reconnaissons l'aide financière du gouvernement du Canada par l'entremise du Fonds du livre du Canada pour nos activités
d'édition.

YVON DALLAIRE

psychologue

Traité de psychologie
des hommes
heureux en amour

QUI SONT CES HOMMES HEUREUX?

LES ÉDITIONS
Québec-Livres
Une société de Québecor Média

Du même auteur

Aux Éditions Québec-Livres
Conflits et disputes dans le couple. Comment les gérer? (2017)
Qui sont ces femmes heureuses? (2015)
Homme et toujours fier de l'être (2015)
L'amour véritable (2015)
Vivre à deux, c'est possible! (2015)
Pour que l'amour et la sexualité ne meurent pas (2014)
Amour ou dépendance? (2014)
Parlons d'amour (2013)
Les couleurs de l'amour (2011)
Chroniques conjugales (2010)

Aux Éditions Option Santé
Qui sont ces hommes heureux? (2010)
Qui sont ces femmes heureuses? (2009)
Qui sont ces couples heureux? (2006)
Moi aussi... Moi... plus (2002)
La violence faite aux hommes (2002)
Homme et fier de l'être (2001)
Pour que le sexe ne meure pas (1999)
Chéri, parle-moi... (1997)
S'aimer longtemps (1996)

Aux Éditions Jouvence
Petit cahier d'exercices des couples épanouis sous la couette (2016)
Petit cahier d'exercices des couples heureux (2012)
Les illusions de l'infidélité (2008)
Cartographie d'une dispute de couple (2008)
La sexualité de l'homme après 50 ans (2008)
Guérir d'un chagrin d'amour (2008)

Aux Éditions ERPI
La sexualité humaine (2009)
(Ouvrage collectif)

Aux Éditions Bayard Canada/Société Radio-Canada
La planète des hommes (2005)
(Ouvrage collectif supervisé par Mario Proulx)

À mon fils, Jean-François,
à mon petit-fils, Noah,
et à mon beau-petit-fils, Raphaël,
pour qu'ils soient heureux
avec la femme de leur choix.

Préface

Vivre avec une femme

«Elle va me rendre dingue!» Combien d'hommes ne sont pas arrivés à cette conclusion au moins une fois dans leur vie?

Vivre avec une femme paraît parfois tellement difficile, mais, en même temps, il semble que c'est encore plus difficile de vivre sans elle.

On le sait, le plus grand des bonheurs pour un homme, c'est de rendre une femme heureuse. C'est ce qui apporte un vrai sens à ses gestes. Elle est son phare, son ancrage. L'amour qu'elle lui porte donne à l'homme l'énergie de déplacer les montagnes. Il se dépasse pour elle et grandit en conséquence.

Malheureusement, beaucoup d'hommes ne savent plus quoi, ni comment faire pour rendre leur compagne heureuse. Ils ont vécu des relations qui se sont mal terminées et ils craignent d'ouvrir à nouveau leur cœur. Ils ont connu des femmes manipulatrices ou qui manquaient totalement de confiance en elles, et cela les a brisés dans leur élan.

De surcroît, soixante-quinze ans de féminisme et de théories égalitaires n'ont rien fait pour aider. Les hommes savent qu'ils ne peuvent plus mener leur vie de la même manière que leur père, et ce n'est d'ailleurs pas leur souhait, n'ayant pas vu, la plupart du temps, leur père heureux.

Mais ces certitudes ne leur donnent pas les clés pour véritablement comprendre les besoins et les attentes des femmes d'aujourd'hui.

Devant cette situation, les stratégies divergent. Certains vont d'aventure en aventure, espérant un jour trouver une femme qu'ils comprendront enfin. D'autres choisissent une compagne qui se laissera contrôler et qui se soumettra à leur vision des choses. D'autres encore acceptent de se laisser contrôler par leur partenaire féminine, laquelle gérera leur vie comme elle l'entend. Enfin, d'autres se résignent à vivre dans cette incapacité à comprendre leur femme et apprennent à éviter les sujets délicats. Une dernière stratégie consiste à créer des vies parallèles permettant d'échapper de temps à autre à ce quotidien morose.

Malheureusement, aucune de ces voies ne rend un homme vraiment heureux. Et c'est très dommage car, quoi qu'en disent certaines femmes, et même si les hommes l'expriment moins, ces derniers ont vraiment envie de vivre une relation épanouissante avec une partenaire de vie. Ils aspirent tout autant que les femmes à aimer et à être aimés.

Il faut donc emprunter une voie différente : l'apprentissage et la remise en question personnelle. Si vous tenez ce livre entre les mains, c'est que vous êtes déjà prêt à suivre ce nouveau chemin.

Et vous faites bien, car l'avenir n'est pas obligatoirement le prolongement du passé. Quoi que vous ayez vécu auparavant, vous avez toujours la possibilité de construire une belle histoire d'amour et d'être heureux en apprenant de vos erreurs, en acceptant un petit travail personnel et en vous informant.

À cet égard, le livre d'Yvon Dallaire est une vraie pépite d'or. Cet auteur dispose d'une expérience unique et d'une connaissance extrêmement approfondie des relations entre hommes et femmes. Il présente le sujet d'une manière simple, drôle et surtout très saine. Il a le courage de dire les choses telles qu'elles sont et ne s'embarrasse pas de phrases politiquement correctes ni de concepts plus ou moins fumeux. Son seul objectif ? Vous apporter les clés pour être plus heureux, car il croit profondément que chacun peut créer la vie amoureuse de ses rêves.

Avec ce livre, l'auteur a accompli sa part – remarquable – du travail. À vous maintenant d'intégrer dans vos vies ce que vous allez lire pour faire partie, je vous le souhaite de tout cœur, de la famille grandissante des hommes heureux.

Paul Dewandre, MBA
Formateur, auteur et conférencier
www.dewandre.fr

Avant-propos

La thérapie conjugale positive

Les concepts développés dans ce traité du bonheur conjugal sont le résultat de quarante ans de pratique en consultation conjugale auprès de milliers de couples venus me consulter. C'est aussi la synthèse des recherches et des théories sur la nouvelle psychologie différentielle des sexes. Je me suis inspiré principalement des approches suivantes :

- la théorie des couples heureux de John Gottman et de son équipe ;
- la neurobiologie du bonheur de Stefan Klein ;
- les principes de l'intelligence émotionnelle de Daniel Goleman et de son équipe ;
- l'approche systémique de Gregory Bateson ;
- la théorie émotivo-rationnelle d'Albert Ellis ;
- les nouvelles données de l'approche comportementale et cognitive d'Hales ;
- les hypothèses de la psychologie évolutionniste de Tooby et Cosmides ; et
- les récentes découvertes de la neuropsychologie décrivant l'influence du cerveau sur le comportement humain.

La synthèse de ces différentes approches a donné naissance à une formation en thérapie conjugale positive que j'ai mise au point, approche tenant compte des données de la nature humaine, mâle ou femelle, et de l'influence de la culture dans la constitution de la personnalité, masculine ou féminine, de chaque être humain.

Fondamentalement, cette approche repose sur deux postulats : le premier part du principe qu'une fois adulte toute femme ou tout homme est responsable à 100 % de sa vie et de ses actions et réactions à son partenaire. Le second met de l'avant l'importance de l'intelligence émotionnelle conjugale qui permet aux deux partenaires, tout en tenant compte de leurs émotions, de ne pas laisser les émotions négatives prendre le dessus sur leurs émotions positives.

Nous espérons que la lecture de ce livre saura vous aider à trouver l'intimité, l'harmonie, l'engagement et l'amour dans votre couple, et facilitera la satisfaction de vos besoins légitimes ainsi que la réalisation de tous vos projets de vie à deux.

Votre satisfaction conjugale

Avant de commencer la lecture de ce livre, je vous invite à vous rendre sur la page http://www.yvondallaire.com/pdf/Testbonheurconjugal.pdf afin de répondre aux vingt-cinq questions du test d'évaluation de votre taux de satisfaction conjugale. Vous pourrez ainsi préciser les sources de satisfaction et d'insatisfaction de votre couple actuel (ou antérieur). Vous saurez mieux comment faire les efforts nécessaires pour améliorer votre degré de satisfaction conjugale et celui de votre partenaire.

Les propos et les conseils que vous trouverez dans ce livre sont la synthèse :

- des études récentes faites sur les couples heureux à long terme réalisées par de nombreuses équipes de chercheurs, dont celle du psychologue John M. Gottman ; celui-ci a suivi 650 couples sur une durée de 14 ans, et a révélé les résultats de ses recherches dans son livre *Les couples heureux ont leurs secrets* ;

- des connaissances et de l'expertise développées au cours d'une quarantaine d'années comme psychologue en thérapie conjugale pendant lesquelles j'ai rencontré des milliers de couples qui m'ont raconté sensiblement la même histoire ;

- de mon expérience de quarante-cinq années de vie de couple, dont trente-cinq ans avec ma partenaire actuelle.

Je vous souhaite une excellente lecture et beaucoup de bonheur à deux, bonheur que je sais possible au-delà des conflits souvent insolubles et des crises inévitables de la vie à deux. Malgré ces difficultés, le couple apparaît encore aujourd'hui comme le meilleur style de vie et la meilleure garantie de bonheur, à la condition d'ajouter à l'amour et à la bonne foi les connaissances et les efforts nécessaires pour y arriver.

Introduction

À qui s'adresse ce livre?

Ce livre s'adresse à tous les hommes qui croyaient que leur «princesse» ne changerait jamais et qui ne s'attendaient pas à ce qu'ils ont obtenu de leur vie de couple. À tous ceux qui songent sérieusement à une séparation temporaire ou à un divorce. À ceux qui, ayant cru avoir trouvé la femme de leur vie, ont réalisé rapidement que celle-ci correspondait de moins en moins à l'image qu'ils s'en étaient faite et qu'elle leur avait présentée. À tous les hommes qui ont l'impression d'être les seuls à se retrouver dans leur situation.

Ce livre s'adresse à tout homme qui croit qu'il serait plus heureux si sa partenaire compliquait moins les choses, si elle se préoccupait moins de tout ce qui pourrait arriver, si elle faisait plus confiance en l'avenir et en lui, si elle tenait davantage compte de ses besoins et désirs sexuels, si elle passait moins de temps à s'occuper des enfants, si elle était moins portée sur le ménage ou sur sa carrière, si elle le laissait plus souvent en paix, si elle ne le critiquait pas autant, s'il ne devait pas toujours lui prouver son amour, si elle parlait moins et l'écoutait plus attentivement, si elle pressentait moins de scénarios de catastrophe, si elle se préparait plus rapidement pour sortir, si... si... si...

Ce livre s'adresse évidemment à tous ceux qui ont multiplié les échecs amoureux et qui, désabusés de la vie à deux, en arrivent à croire que mieux vaut rester seuls plutôt que de s'engager avec une femme qui cherchera à leur imposer ses règles. À tous ceux qui, après une période passionnelle de quelques mois ou quelques années, découvrent que se cachait une «sorcière[1]» derrière la princesse qu'ils avaient rencontrée.

---

1. N'oubliez pas, messieurs, que les sorcières possédaient des connaissances que refusaient d'admettre les inquisiteurs.

Ce livre s'adresse à tous les hommes convaincus que la femme veut les contrôler, qu'elle est impossible à satisfaire, qu'elle n'est jamais contente malgré tous leurs efforts, qu'elle sait toujours mieux qu'eux comment les choses devraient être réglées et qu'elle fait exprès pour voir le côté négatif des choses. Ce livre s'adresse à tous les hommes convaincus que si la femme voulait faire un effort, la vie à deux serait tellement plus simple.

Ce livre ne s'adresse pas aux hommes convaincus d'avoir raison ou se présentant comme des victimes continuelles des machinations féminines (ou féministes). Il ne s'adresse pas non plus à ceux qui ont accumulé rancune sur rancune, ou qui rendent responsable leur partenaire de leurs frustrations passées, présentes et à venir et qui sont, par le fait même, incapables d'évoluer parce que trop rigides. Ce livre ne s'adresse pas aux hommes qui refusent de se remettre en question.

> **Le bien-être dans la relation ne vient pas du fait d'avoir raison.**
>
> Rose-Marie Charest

Les femmes ont évidemment une responsabilité dans la réussite ou non d'un projet conjugal. Pour le moment, je m'adresse aux hommes de bonne volonté qui veulent s'engager entièrement dans leur bonheur personnel et conjugal. Ce livre s'adresse aux hommes responsables et de bonne foi (soit la très grande majorité) qui désirent participer à la réussite de leur couple. Je ne veux surtout pas m'adresser aux hommes qui ont l'impression que leur bonheur passe par le regard de l'autre, qui croient que la femme réelle doit correspondre en tout point à celle qu'ils trouvent sur certains sites Internet – celle qui ne peut exister que dans leurs têtes – et qui, ne pouvant la trouver, proclament que toutes les femmes sont pareilles.

Après avoir vérifié si les partenaires considèrent qu'il vaut la peine de s'investir dans leur couple (chapitre 1), j'ai la prétention d'enseigner aux hommes ce qu'est une femme saine (chapitre 2), comment elle fonctionne (chapitre 3), les concessions qu'ils doivent absolument faire pour obtenir le maximum d'une femme (chapitre 4), les attentes féminines qu'ils doivent à tout prix respecter (chapitre 5), les cinq besoins conjugaux fondamentaux des femmes (chapitre 6), les langages de l'amour (chapitre 7), et comment séduire une femme et la garder pour la vie si tel est leur objectif (chapitre 8).

Tout au long de ces chapitres, je dévoilerai des stratégies qui ont fait leurs preuves pour aider les hommes à être plus heureux à long terme avec la femme de leur choix. La mise en pratique de ces conseils devrait permettre à l'homme aimant et de bonne foi d'obtenir l'intimité sexuelle, le plaisir, la réceptivité, la paix, le soutien et la valorisation dont il a besoin pour s'engager à fond avec la femme de sa vie et ainsi être heureux.

J'espère que ce livre renseignera beaucoup plus d'hommes – et de femmes qui oseront le lire – que je ne peux en rencontrer dans mon bureau de consultation et qu'il permettra d'augmenter le pourcentage de couples heureux à long terme.

À vaincre sans péril, l'homme triomphe sans gloire.

SÉNÈQUE

Chapitre 1

Vous investir ou non dans votre couple

Si l'on tient compte des couples non mariés, plus de 50 % des couples évoluent actuellement en passant par quatre grandes étapes : la séduction, la fusion, la compétition et la séparation. Environ 30 % se résignent et s'endurent, et 20 % font en sorte que la quatrième étape se transforme en partage du pouvoir. Dans *Qui sont ces couples heureux ?*[1], j'ai présenté les caractéristiques de ces couples. Dans ce livre-ci, permettez-moi, messieurs, de vous dire ce que vous devez savoir, faire et aussi cesser de faire pour trouver le bonheur avec votre femme actuelle ou la prochaine.

J'entends d'ici votre réaction : « Il est impossible d'être heureux à long terme avec une femme. Elle finit toujours par compliquer les choses. C'est pourquoi je préfère ne pas (ne plus) m'engager. » Les plus radicaux d'entre vous iront même jusqu'à dire : « Ne te marie surtout pas, tu risques de te faire arnaquer. » D'autres donneront des exemples de divorces s'étant mal terminés où l'homme se retrouve avec uniquement des droits de visite de ses enfants et une pension alimentaire à payer à vie[2]. Ces situations sont malheureusement véridiques ; heureusement, elles sont loin d'être le lot de tous les hommes qui osent s'engager.

Ces réactions sous-entendent que des hommes craignent, non sans raison, d'être la victime d'une machination féminine à laquelle ils devront se soumettre. J'écris « non sans raison » parce que de nombreux clients et

---

1. *Qui sont ces couples heureux ? Surmonter les crises et les conflits du couple,* Québec, Option Santé, 2006.
2. Vous trouverez de nombreux témoignages d'hommes ayant vécu des divorces difficiles sur le site suivant, consulté en mars 2018 : http://ancq.qc.ca/membres-2/histoires-vecues/.

amis m'ont avoué qu'ils avaient perdu leur amoureuse depuis que celle-ci était devenue mère ; non seulement elle s'était complètement désintéressée de la sexualité, mais elle ne considérait plus leur partenaire que comme un simple pourvoyeur. Comment alors se surprendre que tant d'hommes soient sur la défensive, confirmant ainsi la croyance populaire que l'homme a peur des femmes et de l'engagement ?

Êtes-vous un homme au comportement défensif ?

En général, l'homme est aimant et de bonne foi dans son désir de former un couple, tout en préservant sa liberté. Mais l'amour et la volonté ne semblent pas suffisants : la majorité des hommes venus me consulter me disent qu'ils aiment leur femme et qu'ils pensent avoir tout fait pour essayer de la satisfaire. Certes, d'après eux, ils ont tout fait ; mais ont-ils cherché à faire ce qu'eux croyaient devoir faire, ou se sont-ils vraiment mis à l'écoute de leur partenaire ? Ont-ils accepté d'être influencés par les besoins et attentes spécifiques de celle-ci ou, au contraire, ont-ils eu peur, ce faisant, d'être envahis et contrôlés ?

Plus l'homme adopte un comportement défensif, plus sa partenaire devient critique, l'accusant de ne rien comprendre. Les deux amants, intimes et passionnés au début, deviennent alors, lentement mais sûrement, deux ennemis intimes qui passent plus de temps à se disputer qu'à s'aimer. Les couples recomposés augmentent de 15 à 25 % leur probabilité de vivre un second divorce. Quant aux couples résignés, ils se reconnaissent à la dynamique suivante : plus l'homme s'enferme dans le silence, croyant ainsi acheter la paix, plus sa partenaire le critique, et plus elle le critique, plus il s'enferme dans le silence. Plus il la traite de mégère, plus elle critique. Plus elle critique, plus il s'enferme. Un cercle vicieux infernal[3] !

Plus elle critique, plus il se défend.

Plus il se défend, plus elle critique.

---

3. Ces couples sont aux prises avec les quatre cavaliers de l'Apocalypse : la critique, la défensive, le mépris et la dérobade (*Qui sont ces couples heureux ?*, chapitre 7).

L'un des principes à la base de ce livre est qu'en tant qu'individu adulte, chacun est l'artisan de son bonheur ou de son malheur. Chaque homme doit donc prendre la responsabilité de la réussite de son couple à 100 %, et non à 50 %. L'homme n'est évidemment pas responsable des comportements de sa partenaire, mais il est entièrement responsable de ses actions envers elle et de ses réactions à ses agissements. L'homme au comportement défensif voudrait que la femme apprenne son langage et qu'elle demeure la princesse charmante qu'elle a été lors de la période de séduction.

L'homme qui se veut heureux en amour apprend le langage de sa partenaire et la respecte dans sa façon d'être et de faire ; ce qui ne veut absolument pas dire qu'il se soumet à celle-ci. Au contraire, l'homme qui prend à 100 % la responsabilité de ses actions et de ses réactions ne peut qu'encourager sa partenaire à en faire autant.

On reconnaît l'homme au comportement défensif aux vingt caractéristiques suivantes[4] :

1. Il n'accepte ni critique ni conseil de sa partenaire.

2. Il se pense plus intelligent que sa partenaire.

3. Il cherche à raisonner sa partenaire.

4. Il dit souvent : « Pourquoi reviens-tu encore là-dessus ? »

5. Il pense que les choses iraient mieux si sa partenaire cessait de le contredire.

6. Il a tendance à argumenter sur tout.

7. Il lève facilement le ton, car la colère est le sentiment qui l'habite le plus souvent.

8. Il cherche à avoir le dernier mot.

9. Il a souvent l'impression que sa partenaire cherche à le contrôler.

10. Il voudrait qu'elle lui fiche la paix.

---

4. Ce portrait ne fait pas l'objet d'une catégorie nosologique bien précise, mais est plutôt le résultat de mes observations cliniques.

11. Il n'accepte pas de faire les choses autrement qu'à sa façon.

12. Il met en doute les capacités de sa partenaire.

13. Il culpabilise facilement sa partenaire et rejette sur elle la responsabilité des conflits.

14. Il adopte un comportement rigide (y compris dans sa vie sexuelle).

15. Il change de sujet au milieu d'une conversation qui ne tourne pas à son avantage.

16. Il a l'impression d'avoir été piégé par sa partenaire et se demande pourquoi il l'a aimée.

17. Il pense au divorce et imagine ce que serait sa vie s'il vivait avec une femme plus compréhensive.

18. Il interprète facilement les intentions de sa partenaire.

19. Il nie des évidences, surtout si celles-ci le mettent en cause, et ne s'excuse jamais.

20. Il est de plus en plus sur ses gardes et peut même développer des idées paranoïdes.

Cet homme, toujours sur la défensive et prêt à la contre-attaque, ne peut pas être heureux. Et il en est de même pour sa partenaire.

Vous vous êtes probablement reconnu en lisant certains points de ce portrait ; c'est normal. Mais si c'est le cas dans plus de dix points, vous auriez avantage à mettre en pratique la prière de la sérénité si chère aux alcooliques anonymes telle qu'adaptée par Laura Doyle :

> «Seigneur, accordez-moi la sérénité d'accepter les choses que je ne peux changer *(comme ma partenaire)*. Le courage de changer les choses que je peux changer *(comme moi-même)*. Et la sagesse d'en faire la différence *(entre elle et moi)*[5].»

---

5. Doyle, Laura, *The Surrendered Wife*, New York, Simon & Schuster, 2001, p. 51.

En tenant compte de ce qui va suivre, les changements que vous apporterez dans votre façon de voir votre partenaire, d'agir envers elle et de réagir à ses propos et ses comportements auront un effet bénéfique sur elle et sur votre couple. Vous regagnerez (ou ne perdrez jamais) l'attention amoureuse légitime que vous recherchez. Selon le principe de la balle au mur, vos améliorations provoqueront des changements positifs dans votre dynamique conjugale et, immanquablement, chez votre partenaire.

Le principal reproche que j'ai entendu de la part des hommes et de mes clients envers leur femme est:

«Ma femme n'est jamais contente et passe son temps à me critiquer. J'ai beau essayer de tout faire pour la rendre heureuse, ce n'est jamais suffisant. En plus, elle cherche constamment à contrôler ce que je fais ou ce que je dis. Que ce soit à propos des enfants, de l'argent, des tâches à la maison, de nos relations avec nos amis ou du sexe, je ne suis jamais correct.»

Bref, elle se plaint tout le temps. Mais, messieurs, si elle se plaint sans cesse, se pourrait-il qu'elle ait raison? Si vous faites la sourde oreille et ne tenez pas compte de ses récriminations, ne vous surprenez pas si votre partenaire vous annonce son intention de vous quitter. Ses critiques sont une façon, maladroite j'en conviens, de vous communiquer ses besoins. Ne réagissez plus à la critique; cherchez à comprendre et à satisfaire le besoin sous-jacent, et votre femme se transformera.

Saviez-vous que ce sont les femmes qui demandent le divorce dans une proportion de 65 à 80 %[6]? Beaucoup d'hommes quittés ne s'imaginaient pas que l'insatisfaction de leur femme pouvait être suffisamment élevée pour les pousser au divorce. Ils réagissent souvent en disant: «Mais pourquoi tu ne m'en as pas parlé avant? J'aurais pu changer des choses.» Ce à quoi elles répondent généralement: «Je t'en ai parlé... tous les mois, mais cela ne semblait pas t'intéresser. Tu minimisais ou n'écoutais pas mes attentes. Maintenant, il est trop tard.»

---

6. http://www.lefigaro.fr/actualite-france/2011/11/07/01016-20111107ART-FIG00732-quand-les-femmes-decident-le-divorce.php.

L'homme qui prend l'entière responsabilité de son couple se retrouve avec une femme qui prend, elle aussi, l'entière responsabilité de son couple. Avec un tel investissement, les probabilités de faire partie des couples heureux à long terme sont excellentes. Encore faut-il, messieurs, que vous acceptiez d'être influencés par les propos que vous allez bientôt lire. Vous devez aussi changer votre perception : votre femme ne critique pas, elle exprime ses «états d'âme», états d'âme dont vous n'êtes pas responsable même si ceux-ci vous impliquent.

Renoncez aux relations toxiques

Inutile toutefois de continuer à vous investir si vous vous retrouvez dans une relation toxique. Tous les couples passent par des moments difficiles, et aucun de ces moments ne peut justifier une rupture ; au contraire, ces difficultés mettent votre amour à l'épreuve et le font grandir si vous réussissez à les surmonter. Il faut toutefois mettre fin à toute relation qui vous isole, qui vous fait perdre l'estime de vous-même et qui vous donne l'impression de passer à côté de votre vie. On devrait *s'élever* en amour, non se rabaisser. Quittez donc au plus tôt la femme non aimante et de mauvaise foi.

La solitude à deux est la pire des solitudes.

Renoncez à sauver votre couple si :

1. Votre partenaire exerce de la violence physique sans que vous fassiez quoi que ce soit pour la provoquer. Cherchez de l'aide auprès d'amis, de parents ou de services communautaires, y compris la police, car aucune violence n'est admissible.

2. Votre partenaire exerce de la violence envers vos enfants, et à plus forte raison s'il y a abus sexuel. Sachez toutefois faire la différence entre une correction acceptable et la violence, même si vous n'êtes pas d'accord avec la façon de faire de votre partenaire.

3. Votre partenaire est alcoolique, toxicomane, joueuse compulsive ou cyberdépendante (clavardage ou sexuelle). Pour savoir si elle est vraiment dépendante, demandez-vous si cette dépendance interfère avec l'harmonie de votre couple. Si vous vous êtes souvent disputés à cause de ses « vices », cherchez de l'aide auprès d'organismes qui peuvent l'aider ; si elle nie qu'elle a un problème de dépendance, quittez-la.

4. Votre partenaire est une infidèle chronique. Malgré ses belles promesses, celles-ci n'ont tenu que le temps de vous amadouer. Toutefois, ne la quittez pas à la suite d'une seule infidélité, surtout si elle-même vous a avoué son infidélité et semble navrée[7].

5. Votre partenaire est une manipulatrice perverse[8] ou une « vampire émotive » qui vous dévalorise sans cesse et vous sape votre énergie, peu importe la forme que cette manipulation puisse prendre :

- la jalousie : « Tu n'as pas le droit d'exister en dehors de moi » ;

- la faiblesse : « Je ne suis rien sans toi, tu dois donc rester avec moi » ;

- le pouvoir : « Tu agis comme je veux, sinon je te quitte » ;

- la servitude : « Je te suis tellement utile que tu ne pourras jamais me quitter » ;

- la culpabilité : « Tout est de ta faute si ça ne marche pas entre nous » ;

- la menace : « Si tu me quittes, tu vas le payer très cher » ou « Si tu me quittes, je me tue » ou « Tu ne verras plus jamais tes enfants ».

---

7. Pour vous aider à gérer l'infidélité, consultez les ouvrages suivants : Dallaire, Yvon, *L'infidélité*, Genève, Jouvence, 2007 ; Dalpé, Yves, *L'infidélité n'est pas banale*, Montréal, Éditions Québec-Livres, 2012.

8. Pour en savoir davantage : Nazare-Aga, Isabelle, *Les manipulateurs et l'amour*, Montréal, Éditions de l'Homme, 2013.

6. Vous n'avez aucune compatibilité avec votre partenaire. Pourquoi rester avec une femme avec laquelle vous ne partagez ni champs d'intérêt communs ni activités à deux?

7. Votre relation de couple ressemble davantage à un champ de bataille sur lequel vous devez continuellement vous battre pour satisfaire vos besoins légitimes. Si vous ne ressentez aucun respect, aucune confiance ni soutien émotif, pensez à la rupture, à moins de vouloir être malheureux pour le reste de votre vie.

8. Votre couple constitue un territoire dévasté où ne règnent que le vide, l'isolement, le manque, le silence, la distance, le dénigrement, le mensonge, les moqueries incessantes, la violence psychologique, et ce, malgré tous vos efforts sincères de rapprochement.

9. Votre partenaire n'est pas disponible… parce que mariée.

10. Votre femme et vous n'avez plus aucune activité sexuelle depuis que vous avez eu un ou des enfants.

Écoutez la sagesse de votre voix intérieure qui vous dit qu'il n'y a rien à espérer de cette relation. Plus tôt vous quitterez votre relation toxique, plus rapidement vous augmenterez vos chances de trouver une autre femme aimante qui répondra positivement et chaleureusement à vos besoins légitimes et qui vous permettra de devenir un homme heureux en amour: vous y avez droit.

Toutefois, si vous sentez que vous avez une certaine responsabilité dans les situations 6, 7, 8 et 10, donnez une dernière chance à votre couple en utilisant les conseils de ce livre pour une période d'environ six mois ou en proposant à votre partenaire une thérapie conjugale. Si elle refuse ou que rien ne change, vous pourrez alors partir sans culpabilité en vous disant que vous avez vraiment tout essayé avant de jeter l'éponge.

> **Le malheur s'impose de lui-même, le bonheur exige des efforts.**
>
> Stefan Klein

Si votre partenaire n'entre pas dans l'une ou l'autre des catégories précitées (surtout de 1 à 5 et 9), c'est que vous avez une bonne personne entre les mains et qu'il n'existe aucune raison valable pour que vous n'obteniez pas tout l'amour, la tendresse, l'attention, la paix, la valorisation et le sexe que vous désirez. En fait, la seule explication est que les stratégies que vous utilisez sont… inefficaces. Ainsi, au lieu de renoncer à vos attentes, développez des stratégies qui vous permettront d'atteindre vos objectifs réalistes.

Vous n'êtes évidemment pas le seul responsable de l'état de votre couple, mais, pour être heureux à deux, vous devez :

- savoir certaines choses au sujet des femmes ;
- changer plusieurs de vos habitudes masculines, même si elles fonctionnent bien entre hommes ;
- faire les efforts nécessaires pour utiliser des stratégies qui ont fait leurs preuves dans le monde féminin.

Prendre une partie de la responsabilité facilitera la prise en charge de l'autre partie par votre partenaire.

Chapitre 2

La féminité saine et malsaine

En tant qu'êtres humains, hommes et femmes ont la même valeur et sont presque semblables. Les différences tiennent à peu de chose : un chromosome, X ou Y, sur quarante-six, soit 2,17 %. Là où hommes et femmes sont semblables, point de conflits. C'est la petite différence sexuée qui se retrouve dans chaque cellule du corps des humains qui est non seulement la source de l'attirance réciproque, mais aussi celle de nombreux malentendus. Ces caractéristiques sexuées peuvent être accentuées par l'éducation ou, au contraire, être nivelées. C'est du moins ce qu'un certain courant social tente de faire en prônant la venue de l'androgyne ou de la gynandre.

« Un gars, c't'un gars ; une fille, c't'une fille. » Encore faut-il faire la distinction entre les valeurs humaines universelles et les valeurs typiquement féminines ou masculines. La compassion, par exemple, est une valeur

> Une petite différence peut avoir des effets colossaux.
>
> CLAIRE-MARIE CLOZEL

humaine, pas une valeur féminine. Tout comme foncer dans la vie n'est pas exclusivement une valeur masculine. Mais hommes et femmes n'expriment pas leur compassion ou leur intrusivité[1] de la même manière. La communication est une activité humaine, sauf qu'hommes et femmes ne communiquent pas de la même façon ni sur les mêmes sujets et n'ont pas à la base les mêmes facilités. Changer la couche d'un bébé, conduire un autobus, préparer les repas sont des tâches qui peuvent indifféremment être remplies par des hommes ou des femmes, quoique, là encore, la

---

1. Terme créé à partir du mot anglais *intrusiveness*.

quantité et la qualité d'énergie déployée par l'homme ou la femme pour accomplir ces tâches peuvent quelque peu diverger.

Identité, rôles et fonctions sexuelles

Beaucoup d'incompréhensions disparaîtraient si les mots avaient la même signification pour tout le monde. Malheureusement, dans le domaine des relations homme-femme, les interprétations sont chargées de subjectivité et d'émotions. C'est ce qui rend si difficile l'harmonie conjugale et sociale. L'ignorance et le refus des différences sont à la source du sexisme et de la suspicion existant entre hommes et femmes, d'où la nécessité de faire certaines précisions linguistiques.

La première précision concerne le concept d'identité. L'identité se forge par la rencontre de deux forces – nature et culture – et ni l'une ni l'autre ne sont prépondérantes. Elles sont plutôt complémentaires et nécessaires au plein épanouissement de l'humain. Ne croyez pas ceux qui disent que tout est psychologique ou n'est que le résultat d'influences culturelles, car aucun scientifique digne de ce nom n'affirme aujourd'hui que « la nature – ou la culture – est le destin ».

La nature est le moule à l'intérieur duquel la culture viendra façonner les identités. Le moule « oiseau » est très différent du moule « humain ». Et pour les espèces bisexuées, la nature a prévu deux sous-moules : mâle et femelle. C'est ce qu'on appelle l'identité sexuelle, laquelle est inscrite dans le code génétique[2]. Comme chaque individu est fortement influencé par sa culture, chaque moulage final sera quelque peu différent des autres. Mais tous seront soit féminins, soit masculins. C'est ce qu'on appelle l'identité de genre. En ce sens et n'en déplaise à Simone de

---

2. Nos conditions matérielles de vie ont fortement changé depuis l'époque des cavernes, mais le code génétique de l'homme n'a pas évolué depuis 59 000 ans, selon Peter Underhill, de l'Université de Standford, et Michael Hammer, de l'Université d'Arizona. Qui plus est, le code génétique de la femme se serait stabilisé 84 000 ans avant celui de l'homme, soit depuis 143 000 ans, faisant de la femme le sexe le plus ancien et, paradoxalement, le plus stable. La nature se permet beaucoup plus d'expérimentations avec le mâle. Pour en savoir davantage : Johnson, Olive Skene, *The Sexual Spectrum, Exploring Human Diversity*, Vancouver, Raincoast Books, 2004, p. 34-36.

Beauvoir, on naît homme (mâle) ou femme (femelle), sauf quelques aberrations génétiques, et l'on devient masculin ou féminin. L'influence de la culture peut expliquer pourquoi certaines femmes se retrouvent dans certaines caractéristiques de la masculinité, et certains hommes dans celles de la féminité.

> Nous n'avons aucune raison valable de vouloir changer notre nature.
>
> STEFAN KLEIN

Avant d'entreprendre la description de la féminité, faites les deux petits tests suivants.

1. Écrivez spontanément les trois premiers mots qui vous viennent à l'esprit lorsque vous entendez ou lisez le mot «féminité».

   1. _____

   2. _____

   3. _____

2. Écrivez maintenant trois actions qui vous apparaissent exclusivement, typiquement ou prioritairement mâles ou femelles:

Actions mâles (homme)   Actions femelles (femme)

1. _____   1. _____

2. _____   2. _____

3. _____   3. _____

Pour bien comprendre la féminité et la masculinité, il faut aussi savoir faire la distinction entre les rôles sexuels et les fonctions sexuelles. Les rôles possèdent les caractéristiques suivantes:

- Les rôles sont concrets, tangibles, visibles, mesurables et susceptibles d'être partagés entre les hommes et les femmes. Ce sont des activités observables : conduire une automobile ou faire l'amour, par exemple.

- Ils sont conscients et volontaires. L'homme peut se sentir libre ou forcé de laver la vaisselle, mais il est conscient qu'il fait le choix d'accepter ou non.

- Il existe une quantité innombrable de rôles : tâches ménagères, soins aux enfants, rôles sociaux, économiques, politiques, etc.

- Ces rôles ne sont pas spécifiques. L'homme ou la femme, indifféremment, peut sortir les ordures, donner le biberon, travailler à l'extérieur, diriger un pays. Sur le plan psychologique, les rôles ne sont ni féminins ni masculins. Il n'existe pas non plus de rôles meilleurs que les autres, bien que l'on puisse avoir nos préférences.

- Finalement, les rôles changent au gré des modes, des cultures, d'une époque à l'autre, selon les valeurs sociales dominantes. On ne voyait pas de femmes conduire des camions il n'y a pas si longtemps, et très peu d'hommes donner le biberon en public. Très peu de femmes s'intéressaient à la politique. Les modèles ont fort changé et continueront de le faire.

La personne, fortement influencée par son environnement social, ne décide pas toujours de ses rôles, sa société les lui imposant. Les fonctions sexuelles, quant à elles, possèdent des caractéristiques difficilement modifiables par la volonté sociale ou individuelle.

- La fonction est inconsciente. La fonction maternelle ou paternelle n'est pas une décision librement consentie ; elle fait partie de la nature de l'être humain, femme ou homme.

- Elle est psychologique, donc non mesurable. On ne peut mesurer le fait d'être homme ; on n'est pas plus ou moins homme parce que l'on a plus ou moins de comportements d'homme ou qu'on exerce plus ou moins de rôles masculins. La fonction est intangible.

- Elle est unique. Il y a une seule façon d'être mâle, même si on peut exprimer sa masculinité de différentes façons.

- La fonction est spécifique dans la mesure où elle est non interchangeable entre l'homme et la femme. Le père ne peut se substituer à la mère sans dommages pour l'enfant.

- Finalement, la fonction est absolue. Elle ne peut être modifiée par la culture ou la société ; elle est indépendante de notre volonté et se manifeste de la même manière à Québec, Genève, Bruxelles ou Paris.

Pour illustrer la distinction à faire entre rôle et fonction, imaginez l'acteur qui, en tant que personne stable (fonction), arrive à jouer plusieurs personnages (rôles). L'erreur serait de confondre le personnage et l'acteur, même si certains personnages semblent lui « coller davantage à la peau ». Ce n'est pas parce que la femme enfante les bébés (fonction) que c'est elle qui est nécessairement la mieux placée pour lui administrer tous les soins (rôles).

Les différences homme-femme dont il sera question relèvent davantage de la fonction que du rôle, même si certaines fonctions peuvent à la longue (je fais ici référence à des millénaires) être suffisamment influencées par la pratique culturelle pour se modifier et disparaître, ou apparaître. Il y a eu et il y aura encore des mutations génétiques.

Portrait de la féminité

Je prends un pari : l'un des trois mots que vous avez associés à la féminité fait référence soit à la sexualité, soit à la maternité. Peu importe les synonymes que vous avez utilisés, le mot choisi illustre la première chose qu'un homme recherche, consciemment ou non, et s'attend à trouver chez une femme : la fertilité. Ce petit test, que je fais systématiquement dans mes ateliers sur les couples heureux, est très significatif. Presque tous les hommes ont fait référence à la sexualité ou à la maternité, d'une manière ou d'une autre. Plusieurs de ceux qui n'avaient pas associé les mots « sexualité » ou « maternité » à « féminité » ont souvent confirmé qu'ils y avaient pensé, mais ils n'avaient pas osé l'écrire de peur de passer pour un macho. Quant aux actions spécifiquement reliées aux femmes, qui d'entre vous n'a pas fait référence à l'enfantement ou à l'allaitement dans les trois choix possibles?

Cette recherche de fertilité explique pourquoi l'homme est davantage attiré par des femmes plus jeunes et par certaines caractéristiques physiques. De nombreuses études anthropologiques et des expériences faites auprès d'étudiants en psychologie ont démontré que le corps de femme le plus attirant pour l'homme est celui dont la taille fait les deux tiers du bassin, d'où les fameuses proportions 90-60-90 cm (36-24-36 po). Celles-ci seraient une garantie d'une meilleure capacité reproductrice de la femme. Observez les portraits de femmes faits par les peintres du Moyen Âge et de la Renaissance, et vous en aurez une belle illustration.

Il y a certes des hommes attirés par des femmes qui ne correspondent pas à cette image physique et qui rechercheront plutôt certaines caractéristiques psychologiques. Toutefois, si l'on se fie aux magazines féminins, dont la très grande majorité des rédacteurs en chef sont des femmes, vous constaterez que ces dernières sont très conscientes de cette recherche masculine de fertilité associée à la jeunesse. On y présente l'image de la femme jeune et sexy. On dit que l'amour n'a pas d'âge, mais les hommes en relation amoureuse avec des femmes plus âgées sont l'exception plutôt que la règle. Le «démon de midi[3]» constitue un autre exemple, tout comme le fait que les hommes divorcés vont davantage reformer des couples avec des partenaires plus jeunes.

Quoique importante pour les hommes, la fertilité n'est évidemment pas la seule caractéristique féminine recherchée; de nombreuses autres associations sont faites par les participants à mes ateliers, entre autres en ce qui concerne la douceur. Le tableau suivant présente ce que j'estime être les douze principales caractéristiques de la féminité. Celles-ci sont présentées sous trois angles: la féminité saine, la féminité malsaine en moins et la féminité malsaine en plus. Vous remarquerez que chaque qualité féminine possède son revers, soit parce qu'elle est absente ou peu présente (–), soit parce qu'elle est trop présente (+). Pour être heureux, mieux vaut se

---

3. L'expression «démon de midi» fait référence à la «tentation d'ordre sexuel qui s'empare des humains vers le milieu de leur vie» (*Petit Robert*, 2017). Ce démon de midi est davantage le fait des hommes, mais il peut également se manifester chez les femmes.

retrouver avec la femme décrite au centre de ce tableau plutôt qu'à l'une ou l'autre extrémité. Cela dit, aucune femme n'est parfaite... aucun homme non plus. D'où la réalité conjugale qui fait du couple un creuset pour de nombreuses confrontations.

TABLEAU 1. LES CARACTÉRISTIQUES DE LA FÉMINITÉ

Féminité malsaine (–)	Féminité saine	Féminité malsaine (+)
Bonasse	Bonne	Méchante
Se laisse exploiter	Généreuse	Exploiteuse
Altruisme malsain	Altruisme sain	Égoïsme malsain
Se sent coupable	Lâche prise	Culpabilise les autres
Suiveuse	Collabore	Cupide
Se sous-estime	Estime les autres	Sous-estime les autres
Tolérante à l'extrême	Patiente	Impatiente
Isolée	Présente	Narcissique
Dépressive	Enthousiaste	Hystérique
Dépendante	Indépendante	Contre-dépendante
Peur et tristesse	Compassion	Mépris
Frigide	Réceptive	Amazone (guerrière)

Les psychologues disent que «notre partenaire est notre miroir». Cela signifie que si vous êtes l'homme sain décrit dans *Qui sont ces femmes heureuses?*, vous augmentez les probabilités de vous retrouver avec une femme saine. Si vous estimez que votre partenaire possède plutôt une féminité malsaine (en + ou en –), il y a de fortes chances que vous manifestiez vous aussi une masculinité malsaine[4]. Remettez-vous alors en question plutôt que d'essayer de changer votre femme ou, pire, de changer de femme. Car si

---

4. Les femmes qui ne rencontrent que des hommes qui ont peur de s'engager réalisent, lors d'une psychothérapie, qu'elles-mêmes sont aux prises avec cette peur et qu'elles ne sont attirées que par des hommes qui ne représentent aucun danger d'engagement pour elles.

vous ne changez pas en améliorant votre propre masculinité, vous choisirez à nouveau le même type de femme. Connaître à fond la psychologie féminine et son fonctionnement constitue une excellente stratégie pour assainir votre propre masculinité et aider votre partenaire à assainir la sienne. La vie de couple vous en donnera de multiples occasions.

La féminité saine

La femme saine est foncièrement **bonne**. Cette bonté se manifeste sur les plans physique, émotif et psychologique. La «bonne femme[5]» utilise son énergie et son intelligence pour faire le bien autour d'elle, pour s'assurer que tous les gens qu'elle aime soient heureux. Cette bonté se manifeste particulièrement envers ses enfants, mais aussi envers son partenaire, les membres de sa famille et ses amis. C'est cette qualité morale qui la pousse à être si bienveillante et clémente. Elle est toujours prête à donner le meilleur d'elle-même lorsque la situation l'exige. La femme saine cherche à faire ce qui est juste et bon. C'est pourquoi elle entretient avec son entourage des relations agréables.

> Le pardon est la voie de l'amour.
>
> GARY CHAPMAN

Cette bonté est doublée d'une **générosité** débordante. La femme saine «sent» intuitivement ce qui est bon pour les autres; elle les aide à obtenir le maximum de ce qu'ils attendent de la vie. C'est cette générosité qui la pousse à se montrer bienveillante, charitable et à pardonner facilement lorsqu'on le lui demande. Cette qualité élève la femme au-dessus d'elle-même et la dispose à se sacrifier pour les autres, à mettre de côté son intérêt personnel pour faire valoir celui des autres. Elle le fait même si rien ne l'y oblige. On peut dire d'elle qu'elle a une vraie grandeur d'âme.

---

5. Dans le langage populaire misogyne, l'expression «bonne femme» est malheureusement utilisée de façon péjorative dans le sens de gourde, d'inculte ou de quasi-sorcière au lieu de l'être dans son véritable sens étymologique de «femme avisée» et «qui agit avec à-propos et intelligence après avoir mûrement réfléchi» (*Petit Robert*, 2008). Une «bonne femme» est donc une femme bonne.

On le voit bien, la femme saine est naturellement **altruiste**. Tout son corps la porte à se préoccuper davantage des autres que d'elle-même. Son utérus nourrit l'embryon et mène le fœtus à terme dans des conditions parfois très difficiles. Ses seins sont faits pour nourrir son bébé à partir de ses propres ressources et représentent une source de plaisir pour les hommes. En ce sens, la femme est semblable à toutes les femelles animales qui nourrissent la vie en s'enlevant la nourriture de la bouche pour la donner à leurs petits. La femme saine est une aidante naturelle. C'est elle qui, la plupart du temps, assiste les autres membres de la famille lorsqu'ils en ont besoin, surtout les parents vieillissants. Tout son corps et tout son cœur nourrissent la vie.

Cet altruisme est sain; en prenant soin des autres, c'est d'elle-même qu'elle prend soin: elle démontre un altruisme *égoïste* car elle s'acquitte ainsi de sa mission biologique. La femme n'est jamais aussi belle, resplendissante, rayonnante et «remplie» que lorsqu'elle vit une maternité consentie et qu'elle se sent entourée d'un partenaire aidant et d'un entourage chaleureux, prêt à la seconder. La femme saine est fière de contribuer ainsi non seulement à la survie de l'espèce humaine, mais aussi à l'amélioration de la vie autour d'elle.

En plus de se dépenser sans compter au service de la vie, elle n'attend rien en retour: elle **lâche prise**, sachant que la vie qu'elle met au monde va s'épanouir en se séparant d'elle. Elle est évidemment sensible à toute marque de reconnaissance de la part de ses proches, mais elle les veut autonomes et elle accepte qu'ils se réalisent en s'éloignant d'elle. Trop couver ses enfants l'empêcherait de devenir elle-même. Contrôler son partenaire l'éloignerait d'elle. Non seulement lâche-t-elle prise, mais en plus elle **collabore** à l'acquisition de cette autonomie de toutes les manières possibles.

La femme saine laisse les autres être et devenir eux-mêmes parce qu'elle les **estime**. Elle les aime pour ce qu'ils sont. Elle leur démontre son amour en prenant soin d'eux. Avez-vous remarqué la petite différence entre les mots «sein» et «soin»? Un *e* transformé en *o*. Je n'irais pas jusqu'à dire que cela ne lui demande jamais d'efforts de s'occuper des autres, parfois au détriment de son propre bien-être, mais il semble évident que cette prédisposition de la femme saine à aller vers les autres soit innée et spontanée.

Qui d'entre nous n'a jamais remarqué la **patience** manifestée par une femme à la féminité saine, que ce soit pour un bébé qui pleure, un enfant turbulent, un partenaire résistant, un parent exigeant ou une amie capricieuse ? Cette patience semble à toute épreuve, même si elle possède des limites. On observe aussi sa **présence** à l'autre, ce qu'on appelle en psychologie avoir de l'empathie, soit la capacité de s'identifier à quelqu'un et de ressentir ce que l'autre ressent sans se laisser envahir par les sentiments et émotions exprimés. La femme saine est capable d'être patiente et présente à l'autre parce qu'elle reste centrée sur elle-même et fait pour les autres ce dont ils ont besoin : c'est ce qu'elle voudrait que les autres fassent pour elle.

C'est pourquoi la femme saine est si compatissante. La **compassion** est la capacité de partager les maux d'autrui sans les prendre en pitié. Étymologiquement, compassion signifie « souffrir avec ». La femme compatissante cherche alors à remédier à la souffrance de l'autre. Cette sensibilité semble partagée par l'ensemble des femmes à la féminité saine, quoique à divers degrés.

Offrez un cadeau ou faites une surprise à une femme saine, et vous verrez ce que j'entends par **enthousiasme**. Observez aussi avec quel enthousiasme la femme heureuse préparera l'anniversaire d'une personne qui lui tient à cœur ou organisera la fête de Noël. L'enthousiasme est une émotion intense qui pousse la femme saine à l'action dans la joie. La femme enthousiaste se sent forte et devient très créative. Voir les gens heureux autour d'elle la transporte d'allégresse, surtout si elle en est la source.

La femme saine ne se préoccupe pas des autres par obligation : elle le fait parce qu'elle l'a décidé malgré parfois les désaccords de son entourage. Elle se sent libre. Son **indépendance** lui permet de s'occuper elle-même de ses besoins matériels, émotifs et sociaux. Elle adore évidemment que l'on s'occupe d'elle, mais elle tient à ce que cela soit spontané, comme elle-même est spontanée dans sa présence aux autres. Elle ne veut soumettre personne, tout comme elle ne veut pas se soumettre à qui que ce soit. Pas question qu'on fasse quelque chose pour lui faire plaisir ou par devoir ; elle désire que l'on ait le goût de lui faire plaisir, tout comme elle-même a plaisir à prendre soin des autres : cet altruisme égoïste, je le répète, est un égoïsme sain.

Finalement, la femme saine est **réceptive**, psychologiquement, émotionnellement et sexuellement. Elle reçoit les pleurs de son enfant, les tracas de son partenaire, les préoccupations de ses parents et amis. Elle est à leur écoute, les fait parler et les rassure. Elle sait se montrer chaleureuse et enveloppante. Et c'est de façon tout aussi chaleureuse, sensuelle et enveloppante qu'elle reçoit le désir sexuel de son partenaire. Elle adore faire plaisir, et l'un de ses plus grands plaisirs sexuels est de sentir l'intensité du désir sexuel de son partenaire. Pour elle, au-delà du plaisir physique, la sexualité représente la relation spirituelle de deux êtres qui s'aiment, qui prennent soin l'un de l'autre et qui collaborent à améliorer la vie, la leur et celle des personnes qu'ils aiment.

> Une femme qui se battait pour trouver l'harmonie et rendre les autres heureux.
>
> MURIELLE LONA

La femme ne peut qu'aimer l'homme qui reconnaît sa bonne foi et qui est sensible à sa générosité. La femme qui se sent reçue dans son besoin de relation et de communication à l'autre lâche plus facilement prise et collabore avec présence, patience et enthousiasme avec l'homme qui respecte sa féminité. Comment ne pas aimer un homme qui aime sa femme telle qu'elle est et qui, non seulement la laisse libre, mais aussi comprend sa sollicitude pour les autres? La femme qui peut partager ses plaisirs altruistes avec un homme l'aimera, le désirera et s'abandonnera totalement. Cette femme saine ne peut être que créatrice de bien-être et de paix parce que, ainsi aimée et appréciée, elle est heureuse.

Vous pourriez avoir l'impression, messieurs, à la lecture de ce portrait de la femme saine, que je viens tout simplement de décrire une (votre)... mère. Et vous n'auriez pas tout à fait tort, car tout le corps et le cerveau de la femme font d'elle un être de relation et de communication, un être doué de formidables aptitudes. D'après la psychiatre Louann Brizendine, la femme possède «une remarquable agilité verbale, la capacité de s'impliquer à fond dans l'amitié (et l'amour), un don pratiquement médiumnique pour déchiffrer les émotions et les états d'âme d'après l'expression du visage et le son de la voix, la capacité de désamorcer les conflits[6]».

> Appréciez votre femme, elle vous le rendra au centuple.

---

6.   Brizendine, Louann, *Les secrets du cerveau féminin*, Paris, Bernard Grasset, p. 21.

Ces différentes aptitudes facilitent chez la femme sa capacité maternante et nourricière, même si parfois vous trouvez agaçant le fait qu'elle veuille prendre soin de vous comme si vous étiez son petit garçon. Mais l'homme qui n'accepte pas le côté « mamante[7] » de sa partenaire ne pourra jamais être heureux.

Même la femme qui n'enfante jamais manifestera les douze caractéristiques décrites précédemment si elle possède évidemment une féminité saine. Elle le fera en se préoccupant davantage du bien-être de ses employés ou de ses collègues que du résultat du travail accompli, en faisant du bénévolat, en s'attendrissant sur tous les bébés qu'elle rencontre, en adoptant un chien ou un chat, etc.

***

Regardons maintenant l'envers de la médaille, car aucune femme ne correspond en tout point et en tout temps au portrait que je viens de dessiner de la féminité. Aucune femme n'est parfaite, tout comme aucun homme ne l'est. Seule la femme qui existe dans la tête d'un homme est toujours collaboratrice, valorisante, séduisante et réceptive sexuellement. Mais, contrairement à nombre de préjugés sociaux, la très grande majorité des femmes cherchent à correspondre à cet idéal si leur éducation et leur environnement (dont fait partie leur partenaire) sont favorables.

La femme à la féminité malsaine peut parfois se sous-estimer et devenir soumise, parfois se sentir supérieure à l'homme et vouloir tout contrôler. Dans les deux cas, les résultats sont désastreux.

La féminité malsaine (-)

Certaines femmes sont tellement peu sûres d'elles-mêmes qu'elles exagéreront les caractéristiques de la femme saine afin de se sentir acceptées et aimées. Elles souffrent de ce que j'appelle un altruisme malsain, c'est-à-dire qu'elles vont tout faire pour les autres et faire passer leurs propres besoins en dernier. Elles surestiment les autres et se sous-estiment telle-

---

7. Contraction de « maman » et « amante ».

ment qu'elles se mettent dans des situations où elles se laisseront exploiter par leur entourage familial, professionnel et social. Elles ont si peur de s'affirmer qu'elles manifestent une bonté excessive. Elles ont une peur viscérale des conflits, ce qui les pousse à dire oui à tout ce qu'on leur demande.

C'est la «bonne petite fille» à qui sa mère – et son père aussi – a appris qu'il ne fallait pas déranger les autres, qu'il fallait qu'elle fasse ce qu'on lui disait de faire, qu'il ne fallait surtout pas contredire ou faire pleurer sa mère… Cette femme à la féminité malsaine se sent toujours coupable d'être ce qu'elle est. Au lieu de se révolter, elle se soumet complètement à sa mission biologique de service aux autres. Au lieu de s'épanouir et de s'enrichir au contact et au service des autres, elle voit sa féminité qui l'étouffe. Elle devient soumise, n'ose jamais s'affirmer ou exprimer ses émotions, communique généralement très mal ses besoins (lorsqu'elle ose le faire) et se retrouve, la plupart du temps, isolée.

En fait, l'existence de la femme malsaine (-) dépend totalement de la présence des autres. La femme saine est un être de communication et de relation ; elle a besoin de la présence des autres pour satisfaire ses besoins, mais elle profite de ses contacts et s'entoure de personnes qui prendront aussi soin d'elle. Elle prendra du temps pour s'occuper d'elle, pour se faire belle, pour écouter les autres. Elle n'a pas peur de la solitude parce qu'elle est indépendante. Au contraire, la femme malsaine (-) vit la solitude comme un isolement, sinon comme un rejet, car elle n'est pas en contact avec ses propres besoins personnels. Elle n'a pas de rêve personnel. Elle ne sait pas comment s'occuper d'elle. Elle fait tout pour être en contact avec les autres, non pas en s'affirmant, mais en se soumettant à eux. Elle n'a pas d'identité propre. Elle passe donc souvent inaperçue ou, dans les pires situations, pour une simple d'esprit, tant dans sa famille qu'au travail.

Sexuellement, cette femme malsaine peut difficilement prendre son plaisir tellement elle est tendue et obsédée par peur de déplaire. Elle peut difficilement apprécier son corps et tous les plaisirs que celui-ci pourrait lui procurer. Elle ne prend aucune initiative et arrive rarement à s'abandonner totalement. Elle est frigide et souvent sexophobe, aussi bien dans sa sensualité que dans sa génitalité. Cette femme malsaine n'est ni chaleureuse ni enthousiaste : elle n'a pas accès au plaisir car, selon elle, elle ne le mérite pas. Elle a mauvaise conscience ; elle doit donc s'autopunir.

Elle vit continuellement dans la peur : la peur de ne pas être correcte, la peur de déplaire, la peur de ne pas être à la hauteur des attentes des autres, la peur d'avoir mal fait, la peur de ne pas être là au moment où les autres pourraient avoir besoin d'elle, la peur qu'on la rejette si elle ose demander quoi que ce soit, d'où les nombreuses phobies[8] féminines. Pas surprenant que la femme malsaine (-) soit portée à déprimer lorsque ses enfants, pour lesquels elle a souvent sacrifié sa vie, partent de la maison. Si son mari la quitte, elle peut prendre des années à s'en remettre tellement elle était dépendante de lui et ne vivait que pour lui et sa famille. Elle peut aussi, à l'occasion d'un divorce, se révolter et devenir une femme malsaine (+), faisant payer aux autres tous les sacrifices qu'elle s'est elle-même infligés.

La phobophobie : la peur d'avoir peur.

La féminité malsaine (+)

À l'inverse de la femme soumise, l'amazone (ou la guerrière) exige que les autres soient à son service. Loin d'être dépendante, elle est contre-dépendante et refuse de se mettre au service des autres car elle les sous-estime. En fait, les autres n'ont de valeur que pour ce qu'ils peuvent lui apporter. C'est une séductrice hors pair qui sait très bien exploiter ses charmes et ses talents pour attirer les hommes. Elle est comme l'araignée qui tisse sa toile pour mieux attraper ses proies. Contrairement à la femme soumise qui se dévalorise et dévalorise son corps, l'amazone est en admiration devant ce corps et lui porte une attention narcissique. Elle dépensera des fortunes pour le mettre en valeur. Elle reste la jeune fille qui, à l'adolescence, découvre le pouvoir de séduction de son corps sur les hommes. Toutefois, à la différence de la femme saine qui utilisera son pouvoir de séduction pour former un couple et réaliser ses projets et ceux de son partenaire, la femme malsaine (+) utilisera cette séduction pour asseoir son pouvoir sur les hommes.

---

8. Les phobies représentent la pathologie psychiatrique la plus fréquente chez la femme. Elles se caractérisent par une peur irrationnelle sans substratum organique, pouvant évoluer vers une attaque de panique si l'évitement de l'objet phobogène n'est pas possible. Elle entraîne souvent une forte détérioration de la qualité de vie. http://fr.wikipedia.org/wiki/Phobie.

Elle se porte un véritable culte, parlant sans cesse d'elle-même, faisant des analyses détaillées de sa personnalité, racontant tous les détails de sa vie et s'intéressant très peu au vécu de l'autre. Elle cherche à être le centre de l'attention, ce qu'elle réussit très bien car elle est une charmeuse charmante... du moins, au début. Elle crée des attroupements autour d'elle, des attroupements... d'hommes, les autres femmes n'étant pas dupes de son jeu. Elle fait de la représentation. Évidemment, elle n'attirera que des hommes à la masculinité aussi malsaine que sa féminité, confirmant ainsi le phénomène du «couple miroir» des psychologues.

Dans son couple, si elle n'est pas heureuse, c'est évidemment la faute de l'autre. L'autre qui ne la comprend pas, qui ne l'aime pas comme elle le voudrait, qui ne devine pas ses besoins.

Miroir, ô miroir, dis-moi que je suis la plus belle.

Elle a donc raison d'être exigeante et impatiente. Elle ne peut imaginer que ses attentes puissent être illusoires, infantiles ou narcissiques. Non, pour être heureuse, son homme doit satisfaire tous ses caprices, sinon c'est la crise d'hystérie[9], soit une véritable tempête émotionnelle se manifestant par des exaspérations, des cris, des pleurs, des dramatisations. La femme malsaine (+) ne tolère pas les frustrations et démontre une hyperactivité émotionnelle.

Si, par malheur, son partenaire décide de la quitter, ou si elle-même décide de le quitter, elle lui fera payer très cher, émotionnellement et financièrement, le fait qu'il n'ait pas été à la hauteur de ses espérances. Le prince qu'elle croyait avoir rencontré n'est pas devenu le roi qu'elle espérait, faisant ainsi d'elle une reine : il devra donc en subir les conséquences. Elle n'hésitera pas à faire appel à des avocats, non pas pour faire respecter ses droits légitimes, mais pour satisfaire sa cupidité, pour exprimer son désir de vengeance et pour démontrer tout son mépris, mépris qu'elle vouera à tous les hommes (ce qui lui donne ainsi le droit de tous les

---

9. En fait, la femme malsaine (+) n'est pas hystérique au sens propre du terme, mais démontre un ou plusieurs symptômes du *trouble de la personnalité histrionique*. Selon le DSM-5, ce syndrome se manifeste par une réponse émotionnelle excessive. «L'histrionique utilise le charme comme moyen d'échange, de communication, voire d'interaction. La personne agira ainsi aussi bien envers les hommes que les femmes de tout âge. C'est sa façon, automatique et naturelle, de vivre avec l'entourage.»

exploiter), et ce, surtout si son partenaire l'a quittée pour une autre femme. Elle exige la garde exclusive de ses enfants et fait de l'aliénation parentale[10].

La femme malsaine (+) se sert de sa sexualité pour asservir l'homme, et non pour lui donner du plaisir ou partager du plaisir avec lui. C'est elle qui racole, qui prend les devants, qui est souvent hyperactive, qui crie au moment de l'orgasme, mais qui n'a pas de réel plaisir car elle ne sait pas s'abandonner et faire confiance. Elle fait également miroiter de multiples plaisirs à ses partenaires, et elle va d'un partenaire à l'autre. Elle ne se «rend» jamais, non pas dans le sens de se soumettre, mais dans le sens de lâcher prise et de vivre une réelle rencontre amoureuse.

Le choix de l'homme heureux

La femme normale ne correspond jamais à 100 % à l'un ou l'autre des trois portraits que je viens d'esquisser. Elle oscille plutôt entre la soumise et l'égocentrique, entre celle qui est toujours au service des autres et, au contraire, celle qui voudrait asservir et contrôler les autres pour assurer sa sécurité. Elle vise le centre du tableau, comme on l'a vu précédemment. En général, la femme saine sait s'occuper des autres tout en s'occupant d'elle-même afin de remplir, du mieux possible, sa fonction biologique de créatrice et de protectrice de la vie. Elle trouve sa sécurité à l'intérieur d'elle-même, lorsqu'elle se sent en harmonie avec sa nature féminine, et recherche un compagnon en paix avec lui-même pour réaliser les quatre dimensions de sa vie : parentale, partenariale, professionnelle et personnelle.

L'homme qui veut être heureux doit fuir au plus tôt la femme soumise et dépendante : ne pouvant vivre sans lui, elle le rendra finalement responsable de son malheur et risque de se transformer en véritable bourreau. Il peut être agréable de rencontrer une femme qui se préoccupe de vous, qui valorise tout ce que vous faites, qui est toujours d'accord avec vous, qui n'hésite pas à vous suivre dans tous vos projets, qui vous regarde avec admiration tout en restant sur la réserve... Mais il y a souvent anguille sous roche ; c'est ce qu'a constaté

---

10. Voir http://fr.wikipedia.org/wiki/Syndrome_d%27ali%C3%A9nation_parentale.

Robert, l'un de mes clients de 36 ans, venu consulter en couple après huit ans de vie commune.

Elle était tellement réservée, observatrice, sensée; elle ne parlait pas pour ne rien dire. Jamais elle n'a eu un geste déplacé ou une parole blessante. Une femme sérieuse qui n'essayait pas de jouer à la vedette. Au début, elle était réticente, résistante, mais sa réserve a stimulé mon désir de la conquérir. J'étais fatigué des conquêtes faciles. Tout est arrivé graduellement: nous n'avons fait l'amour qu'après quatre mois de fréquentation. J'ai été son premier amant.

Aujourd'hui, je découvre que tout ça n'était que de la timidité et de la frigidité; c'est une femme coincée, incapable de dire tout haut ce qu'elle pense, toujours dans son coin à faire pitié. Aujourd'hui, tout ce qu'elle fait, c'est de s'occuper des enfants. J'ai l'impression de ne plus exister. Et quand j'ai le goût de faire l'amour, je vous dis qu'il faut que je m'y prenne de bonne heure. Elle est toujours fatiguée.

Nombre d'hommes se sont résignés à vivre, malheureux, avec une femme qui, devenue mère, a cessé d'être une amante. Beaucoup de ces hommes se sont enfermés dans le silence ou ont cherché des compensations au travail, quand ce n'était pas dans l'alcool ou les aventures extraconjugales. Beaucoup n'ont eu d'activité sexuelle que la masturbation.

Ne sera pas plus heureux l'homme qui choisit une femme à l'autre extrême. Écoutez le témoignage de Jean-Louis, un homme de 40 ans devenu amoureux d'une jeune femme de 27 ans.

Elle était tellement enjouée, excitante, vivante et pleine d'humour; elle devenait facilement le clou de la soirée et tout le monde l'admirait. Je n'ai pas pu faire autrement que d'être envoûté. Et elle s'est intéressée à moi; je n'en revenais tout simplement pas. Nous avons fait la fête, nous avions beaucoup d'amis et d'invitations. Un vrai feu roulant! Nous faisions l'amour dans des endroits insolites, c'était très excitant.

Mais aujourd'hui, je n'en peux plus de la voir faire tous ces *sparages, toutes ces minauderies*,[11] pour continuer d'attirer l'attention de tout un chacun. Je suis devenu envieux de l'admiration et du désir que je vois dans les yeux des autres hommes. Et pourtant, c'est comme ça qu'elle m'a eu. Aujourd'hui, je suis fatigué de toutes ces réceptions, de tout ce babillage. J'aimerais ça l'emmener sur une île déserte, mais elle dépérirait. Quant au sexe, j'ai l'impression qu'elle fait son devoir conjugal. Sans plus.

Beaucoup d'hommes qui se sont retrouvés avec des femmes soumises ou des vamps ont cru que leur princesse resterait toujours la même : valorisante et pleine d'admiration pour eux. Bien sûr, une femme méfiante ou histrionique peut s'améliorer avec le temps, avec ses expériences et au contact de son partenaire, mais l'homme qui veut être heureux doit cesser de se prendre pour un sauveur, car la majorité des sauveurs finissent tous de la même façon : crucifiés. Contrairement à la croyance masculine, la femme n'est pas un être plus compliqué que l'homme, mais celui qui veut être heureux avec la femme de son choix doit comprendre et accepter que la femme, y compris la femme à la féminité saine, est «changeante». Tant mieux si elle évolue en parallèle avec son partenaire et dans le sens voulu par celui-ci, mais une telle garantie n'existe pas.

> **Une relation de couple sans jugement est une relation sans problème.**
>
> ARLO WALLY MINTO

***

Maintenant que vous connaissez mieux le portrait des trois types de femmes – saine, soumise ou amazone – que vous rencontrerez dans la réalité, regardons comment fonctionne au jour le jour la femme saine avec qui vous pourriez être heureux de vivre si vous l'acceptez telle qu'elle est, avec ses couleurs, ses spécificités et ses nuances, et non telle que vous aimeriez qu'elle soit.

---

11. Québécisme utilisé pour la première fois par Albéric Bourgeois en 1937. «Faire des sparages» signifie gesticuler, fanfaronner, de manière à se faire remarquer.

Chapitre 3

Le fonctionnement de la femme

Les caractéristiques génétiques, gonadiques, hormonales, anatomiques et cérébrales chez la femme, quoique minimes, ont des répercussions sur les plans psychologique et comportemental. Pour être heureux avec une femme, messieurs, vous devez reconnaître l'influence de la biologie féminine sur sa psychologie. Connaître les spécificités du comportement féminin vous outillera de façon efficace pour être heureux avec celle que vous aurez choisie ou choisirez.

Ces caractéristiques sont essentiellement liées au code génétique. Certains intervenants vous diront que chaque individu est unique et fortement influencé par la culture qui l'entoure. D'autres vous parleront de la plasticité du cerveau. D'autres encore souligneront, paradoxalement, que nous sommes tous semblables. Ils ont raison : il y a beaucoup plus de ressemblances que de différences entre les hommes et les femmes. Sauf que, qu'on le veuille ou non, de *petites* différences de nature provoquent de *grandes* conséquences dans les relations homme-femme. C'est pourquoi il est si difficile de vivre une relation de couple harmonieuse sur une longue durée.

> Le gros bon sens nous dit que le cerveau unisexe n'existe pas.
>
> D^RE^ LOUANN BRIZENDINE

Ces différences biologiques se répercutent sur les plans énergétique, sexuel, cérébral, intellectuel, philosophique (perception du monde), logistique et émotionnel. Elles influencent aussi le mode de communication des femmes, ainsi que leur façon d'aborder la vie de couple et leur vie parentale, sociale et professionnelle. Sans dire que la femme vient de Vénus, disons qu'elle est un être humain d'un caractère particulier, caractère divergeant de celui de son compagnon, au même titre que sont quelque peu distincts les mâles et les femelles de toutes les espèces animales.

L'énergie femelle[1]

L'énergie est une capacité, un potentiel, une aptitude à modifier un état quelconque pour, selon les physiciens, effectuer un travail, produire de la chaleur ou de la lumière ou créer un mouvement. L'énergie est synonyme de mouvement. Ce mot vient du latin *energia,* qui tire son origine du mot grec *energeia,* signifiant «force en action».

En ce sens, la femme utilise son énergie et sa force pour agir, construire, faire avancer les choses, découvrir et créer, à la condition toutefois qu'on lui en donne l'occasion et qu'on l'y encourage. En général, l'énergie produit l'action qui, en elle-même, est source d'énergie : la femme se nourrit elle-même en agissant. Il existe donc une base énergétique à l' « altruisme égoïste» de la féminité saine. Lorsque la femme nourrit l'autre, elle renouvelle son énergie. Accepter d'être «nourri» (au sens relationnel) par une femme et être reconnaissant pour ce qu'elle nous apporte constitue la meilleure stratégie à utiliser pour augmenter son énergie et la qualité de son action, ainsi que son amour envers l'homme qui apprécie ce qu'elle fait pour lui, et ce, même si ce qu'elle nous donne n'est pas ce que nous attendons et même si nous avons l'impression qu'elle joue à la mère avec nous. Pour obtenir le maximum d'une femme, il s'agit d'accepter de recevoir ce qu'elle nous offre.

L'émotion, de l'énergie en mouvement.

---

1. Tout comme pour l'expression «bonne femme», le mot «femelle» a parfois une connotation péjorative de «femme mauvaise»; pourtant, c'est le mot juste, équivalent à mâle, lequel ne prend une connotation négative que lorsqu'il est remplacé par «macho». Pour ceux et celles que le terme «femelle» offenserait, remplacez-le par «féminine», même si ce mot est impropre puisqu'il fait référence à l'identité de genre et non à l'identité sexuelle, ce dont il est ici question.

Donner l'occasion à la femme d'utiliser son énergie (son temps, ses ressources, ses connaissances) comme elle l'entend est l'une des plus belles preuves d'amour qu'un homme puisse lui donner. C'est aussi une excellente stratégie de séduction. Refuser son aide ou ses conseils ou la rabrouer lorsqu'elle veut s'occuper de nous minimisera son estime de soi (féminité malsaine en −) ou provoquera des réactions émotives intempestives (féminité malsaine en +).

L'énergie femelle possède deux mouvements : l'un qui va de l'extérieur vers l'intérieur, et l'autre, du bas vers le haut. La femme a, depuis des temps millénaires, investi son énergie pour créer et nourrir la vie. Pour ce faire, elle devait accumuler de l'énergie. Pour pouvoir donner, il faut qu'elle ait quelque chose à donner ; elle doit donc faire des réserves puisées à l'extérieur d'elle pour ensuite les accumuler à l'intérieur d'elle. Il est très significatif que nombre de femelles animales, avant leur période de rut, fassent des réserves de nourriture pour pouvoir nourrir leur petit pendant la période de gestation et d'allaitement. Il est aussi très significatif que les premières représentations du corps de la femme dans les peintures rupestres de la préhistoire le dessinent gras et gros, parfois énorme.

Nos conditions de vie ont grandement évolué depuis l'époque des cavernes, mais pas notre code génétique ni nos tendances profondément inscrites dans notre biologie. Les femmes font d'énormes efforts pour ne pas gagner du poids ; elles s'astreignent parfois à des diètes mettant leur vie en danger pour garder leur ligne et attirer l'attention d'un partenaire. Mais avez-vous remarqué la tendance des jeunes femmes à prendre du poids lorsqu'elles sont bien installées dans une relation stable et sécurisante, avec un compagnon garanti à vie ? Cette prise de poids est loin d'être volontaire, mais elle semble universelle. Elle peut toutefois avoir une influence négative sur le vécu du couple. C'est un reproche souvent entendu de la part des hommes en thérapie sexuelle : « Depuis que nous sommes mariés, ma femme a non seulement changé, mais elle a aussi pris plusieurs kilos. J'ai de plus en plus de difficultés à la désirer. »

> Même si nous vivons dans un environnement urbain, nous habitons un corps construit pour vivre en pleine nature.
>
> Dʳᵉ Louann Brizendine

Le deuxième mouvement de l'énergie féminine va de bas en haut. J'ai assisté un jour à une conférence sur le tantrisme[2] et la sexualité. La conférencière expliquait que le rôle de la femme, après avoir attiré l'homme par son chakra[3] sexuel, est d'enseigner à ce dernier à *développer* son chakra du cœur et, si possible, son chakra spirituel. Pour elle, ce n'est que dans ces deux chakras que la relation amoureuse trouve son plein épanouissement. La sexualité doit être mise au service de l'amour (cœur) et de la spiritualité (tête) et transformée en relation plutôt qu'en action performante. Cette perception est évidemment féminine et, quoique valable en soi, pas tout à fait adaptée à l'homme, pour qui l'action est la priorité.

La femme attend de l'homme qu'il soit senti... mental et qu'il transforme son attirance sexuelle en engagement relationnel affectueux, de façon exclusive. La femme à la féminité saine sait qu'elle a besoin de cette sécurité et de cet engagement sentimental et amoureux pour pouvoir par la suite mieux s'occuper des autres et, par là même, s'occuper d'elle-même en réalisant son propre projet de vie.

C'est aussi la raison pour laquelle elle a tant besoin de regards et de communication. Elle fait tout pour attirer l'attention sur son corps (de l'extérieur vers l'intérieur) – des milliards de dollars sont dépensés chaque année en produits de beauté –, pour se sentir belle et bien ; mais ce qu'elle recherche surtout, c'est la confirmation de l'existence de la relation par la parole et la communication des sentiments (du bas vers le haut). Dire «Je te désire» à une femme n'a pas du tout pour elle la même signification que de lui dire «Je t'aime». Pour elle, le désir est davantage physique (bas), alors que l'amour est spirituel (haut). Une nuance que l'homme fait plus difficilement, car il aime ce qu'il désire : l'homme aime avec son corps, la femme avec son cœur.

L'homme voit une femme : il la désire ou non. S'il ne la désire pas, il sait qu'il ne peut pas l'aimer et ne s'en approche pas. Il peut certes la

---

2. Le tantrisme est un courant de l'hindouisme qui s'est développé au Vᵉ siècle de notre ère et qui est fondé sur l'utilisation de toutes les énergies positives qui animent l'être humain et dont les fidèles s'adonnent au culte des divinités féminines.

3. En yoga, le chakra constitue un centre d'énergie.

désirer sans l'aimer, mais son premier choix est de lier les deux. Pour lui, amour et sexe vont de pair. Ce qui n'est pas le cas pour la femme : non seulement elle veut se faire désirer (bas), mais elle a aussi besoin de faire monter ce désir (cette énergie) vers le haut, vers le cœur, vers l'esprit. Pour la femme, la parole vient confirmer l'engagement : 85 % des demandes de communication à l'intérieur des couples sont faites par les femmes.

L'homme sain aime ce qu'il désire.

La femme saine désire ce qu'elle aime.

La gestion de l'énergie

L'homme reproche souvent à la femme de compliquer les choses. Ce reproche éclaire la façon dont celle-ci gère son énergie : par vagues, soit par des hauts et des bas. L'homme comprend difficilement que la femme ne soit pas linéaire et ne prenne pas un temps de repos après avoir fourni un effort ; elle est comme les vagues de la mer : toujours en mouvement. Comment voulez-vous arrêter les vagues de la mer ? Elles vont et viennent sans cesse : il y a des vaguelettes et des vagues plus ou moins grosses, selon les vents ; il y a aussi des vagues de fond, des marées, fortement influencées par l'attraction lunaire. Ce n'est pas compliqué, c'est comme ça. Et c'est d'une régularité à toute épreuve. Asseyez-vous tranquillement sur une plage et observez attentivement la mer. Vous comprendrez le principe fondamental de la vie et de l'énergie féminine : **le changement**.

Toute femme vit des vagues hormonales que l'on pourrait comparer aux divers moments de la mer. Généralement tranquille, elle peut aussi s'agiter et même devenir destructrice. Chaque mois, après deux semaines d'accalmie, survient chez toute femme une tempête hormonale (le SPM, ou syndrome prémenstruel) provoquée par une brusque montée de production de sa progestérone. Cette tempête peut être plus ou moins grosse ou contenue, selon que la femme possède une féminité saine, malsaine en + ou en –. À toutes les grossesses survient un ouragan hormonal : pour mener à terme sa grossesse, de nombreuses hormones interviennent. Non seulement le corps de la femme en subit les contrecoups (particulièrement lors du deuxième mois), mais son esprit, sa philosophie de vie, ses valeurs fondamentales, son identité sont remis en question tout au long de sa gestation. De nombreuses mères, auparavant carriéristes, peuvent en témoigner.

> Elle : Les hommes n'ont pas à subir tous les changements que vivent les femmes.
>
> Lui : Non, mais nous devons apprendre à vivre avec les femmes.
>
> Lynn

À la ménopause survient un véritable tsunami qui emporte tout sur son passage et qui pousse la femme à reconsidérer l'ensemble de sa vie à la recherche d'un nouveau sens, surtout depuis que l'espérance de vie des femmes est passée de 51 ans en 1900 à 86,8 ans en 2015 au Japon[4], soit une vie postménopausique qui s'étend sur plus de trente ans. La qualité de ces décennies dépendra largement d'elle et de la façon dont elle a vécu sa féminité, mais aussi de la qualité de la relation entretenue avec son partenaire et de la reconnaissance de ses enfants. Lorsque, plus jeune, elle a réalisé sa pleine féminité, la femme ménopausée peut alors profiter en toute légitimité d'un repos bien mérité.

La femme saine apprend, avec le temps, à bien gérer cette énergie toujours changeante et prête à exploser. Elle sait protéger les autres, et elle-même, de ses sautes d'humeur et de ses vagues à l'âme. Elle apprend à mieux maîtriser les multiples peurs (ou phobies[5]) dopées par ses vagues hormonales, car celles-ci se font beaucoup plus tranquilles après la ménopause. N'ayant plus à s'occuper des enfants qui volent maintenant de leurs propres ailes, elle peut enfin jouir d'une plus grande stabilité, surtout si elle s'est réalisée dans son rôle de mère, de partenaire et de professionnelle et si elle a eu une vie personnelle et sociale bien remplie.

> La ménopause, la dernière « gyno-crise » de la femme.
>
> Dʳᵉ Louann Brizendine

---

4. Pour connaître l'espérance de vie des femmes et des hommes par pays, consultez https://fr.wikipedia.org/wiki/Liste_des_pays_par_esp%C3%A9rance_de_vie.

5. Il est surprenant de constater jusqu'à quel point les phobies de la femme non ménopausée disparaissent ou diminuent fortement après la ménopause. La principale explication : la chute de production de progestérone, hormone *cata*bolisante à l'origine de ses scénarios *cata*strophiques.

La femme saine est comme une fourmi ou une abeille. Elle est un mouvement perpétuel qui régénère son énergie par son propre mouvement. Sa récompense : le plaisir et le bien-être que son action crée chez les autres. L'homme sain comprend et accepte l'altruisme égoïste de sa partenaire. Lui demander de moins s'occuper des autres, de s'arrêter et de penser un peu plus à elle (pour passer plus de temps avec lui ?) constitue la meilleure stratégie pour qu'elle se sente rejetée et non acceptée dans ce qu'elle est fondamentalement. L'homme qui, au contraire, comprend et accepte ce comportement et qui désire respecter sa partenaire et retirer le maximum de celle-ci aurait avantage à lui offrir une participation plus active dans les travaux ménagers et à s'investir davantage auprès de ses enfants. Il permettrait ainsi à sa femme de conserver plus d'énergie pour lui et leur vie intime et sexuelle. La femme qui se sent acceptée et secondée acceptera et respectera davantage son partenaire ; elle se sentira plus à l'aise pour s'ouvrir à son partenaire et à ses particularités. La femme détendue et entourée est beaucoup plus réceptive, y compris sexuellement.

La sexualité féminine

La sexualité, c'est l'énergie vitale. Sans sexualité, pas de vie. Et l'on sait que la femme est la porteuse de vie. C'est d'ailleurs dans le domaine de la sexualité que s'expriment le mieux les caractéristiques de l'énergie femelle. Mais avant d'aborder les cinq caractéristiques de l'érotisme féminin, j'estime essentiel d'attirer votre attention, messieurs, sur certaines données biologiques de la sexualité féminine.

Premièrement, la femme possède très peu de carburant sexuel, soit la testostérone. Plusieurs études ont prouvé que l'homme pouvait produire de dix à cent fois plus de testostérone que sa partenaire, expliquant ainsi sa plus grande tendance à la génitalité et sa propension aux fantasmes sexuels. Le moteur de la sexualité féminine n'est donc pas hormonal, contrairement à beaucoup d'autres aspects de sa vie.

Deuxièmement, quand une femme devient mature sexuellement, elle devient capable de se reproduire, et pas nécessairement d'orgasmer. Pour elle, le plaisir et l'orgasme ne sont pas essentiels à la reproduction. On est d'ailleurs toujours à la recherche de preuves de présence d'orgasme chez

Quelle femme n'a jamais dit à son partenaire: «Tu ne penses qu'à ça!» les autres femelles animales[6] et l'on sait que, pour certaines espèces, le coït serait plutôt douloureux. Seule la femelle humaine serait capable d'apprendre le chemin de l'orgasme et encore, car nos études nous apprennent que seulement 65 à 85 % des femmes auraient connu au moins un orgasme au cours de leur vie. L'érotisme de la femme se manifeste donc comme un potentiel à développer plutôt que comme un acquis biologique.

Troisièmement, l'apprentissage de l'érotisme génital de la femme est un processus très délicat qui se fait par l'accumulation d'expériences relationnelles, sensuelles, érotiques et génitales agréables. Cet apprentissage est facilement contrecarré par des traumas infantiles (incestes, agressions sexuelles...), par une éducation sexuelle culpabilisante (le phénomène du double standard, le dilemme vierge-putain...), par une perception négative de son image corporelle (l'insistance de la pub sur la beauté esthétique de la femme) ou par une parole inappropriée. Une simple maladresse risque de refroidir une femme dans son élan sexuel.

Chéri, non! Les enfants dorment à côté. Quatrièmement, le potentiel biologique de la sexualité féminine est... sans limites. Contrairement à celui de l'homme qui ne peut multiplier les orgasmes et a besoin, selon l'âge, d'un temps de récupération plus ou moins long pour atteindre un nouvel orgasme, la femme, elle, est multiorgasmique et récupère rapidement son énergie sexuelle. N'importe quelle femme peut épuiser sexuellement son homme, si elle le veut. L'homme s'épuise en faisant l'amour, alors que l'énergie sexuelle de la femme se renouvelle sans cesse. Heureusement que sa pulsion sexuelle est limitée par un faible taux de testostérone, sinon...

Cinquièmement, la sexualité de la femme saine est multiforme. Son désir d'orgasme n'est pas aussi fort que celui de son partenaire. Elle peut très bien apprécier une rencontre sexuelle sans orgasme, si celle-ci lui a

---

6. Les femelles macaques (bonobos) manifesteraient des réactions corporelles comparables aux orgasmes féminins. http://edu.mnhn.fr/mod/book/view.php?id = 5220&chapterid = 51.

permis de passer un moment d'intimité chaleureuse. Elle peut avoir des orgasmes dits clitoridiens, vaginaux, utérins. Quoique ses orgasmes par stimulation du clitoris soient les plus faciles à obtenir et les plus fréquents, elle peut aussi orgasmer à partir de la stimulation de son point G et même à partir de la stimulation de ses mamelons. On dit qu'il existerait même une éjaculation féminine[7].

Finalement, la sexualité de la femme évolue avec l'âge. Très portée sur les fantasmes lors de l'adolescence, elle devient de plus en plus génitale, du moins quand elle découvre le chemin du plaisir sexuel et de l'orgasme et devient sexophile. À 15 ans, la fille rêve (à son acteur préféré, à un amoureux imaginaire, par exemple) et se raconte des histoires, souvent en compagnie d'une copine. À 25-30 ans, elle est amoureuse et trouve que son partenaire est trop génital. À 45 ans, la femme épanouie sexuellement est capable de rechercher le plaisir pour le plaisir. Mais la majorité d'entre elles opteront pour la sexualité amoureuse, même si certaines deviennent des «cougars[8]».

La sexualité féminine n'est donc pas aussi simple et linéaire que celle de l'homme: désir, caresses, orgasme. Là aussi, elle est plutôt changeante et fortement influencée par les dimensions relationnelle et environnementale. Sinon, sa sexualité fonctionnerait comme celle de toutes les autres femelles animales et elle ne serait réceptive qu'en période de rut, soit au moment de l'ovulation qui survient quatorze jours avant le début de ses menstruations. Si sa sexualité était sous le contrôle exclusif de ses hormones, la femme ne serait réceptive que quelques jours par mois. Certaines femmes rapportent d'ailleurs une intensification de leur désir sexuel au milieu de leur cycle menstruel, à la condition évidemment que celui-ci soit régulier.

C'est par le cœur et la tête que l'on atteint le corps des femmes.

---

7. L'existence du point G (du médecin Grafenberg qui l'a découvert) et de l'éjaculation féminine ne fait toutefois pas l'unanimité parmi les sexologues. Lire à ce sujet le livre de Jacques Salomé, *L'effet source*, http://www.editions-homme.com/effet-source/jacques-salome/livre/9782761931557.

8. http://www.psychologies.com/Couple/Seduction/Rencontres/Articles-et-Dossiers/Gare-aux-femmes-cougars.

L'érotisme féminin existe, mais à l'état latent. La libido de la femme peut être stimulée; encore faut-il qu'elle-même et son partenaire soient conscients des caractéristiques de cet érotisme. Voici un tableau qui résume les différences homme-femme sur le plan sexuel.

TABLEAU 2. LES CARACTÉRISTIQUES SEXUELLES SELON LE SEXE

HOMME	FEMME
Vision	Séduction
Génitalité	Sensualité
Intrusivité	Réceptivité
Intensité	Globalité
Rapidité	Retenue

L'érotisme de la femme est d'abord et avant tout un érotisme de **séduction,** et ce, dès son plus jeune âge. Alors que les petits garçons s'intéressent aux objets, les petites filles s'intéressent davantage aux visages : elles recherchent le regard de l'autre. À 5-6 ans, lorsqu'une petite fille demande qu'on la regarde, c'est sur elle qu'elle veut attirer l'attention. À 12-13 ans, lorsqu'elle prend conscience de sa valeur érotique, elle va passer des heures à se maquiller, à se pomponner, à s'évaluer dans le miroir, à se brosser les cheveux... Visitez n'importe quel centre commercial : qu'y trouvez-vous en quantité ? Des vêtements, des chaussures, des cosmétiques, de la lingerie fine, etc., pour la femme ! Tout pour être belle, sexy et attirer le regard des hommes. Vous voulez une preuve supplémentaire ? Achetez n'importe quel magazine féminin. Comme je l'ai déjà mentionné, l'énergie de la femme va de l'extérieur vers l'intérieur : elle cherche à attirer les regards sur elle. Et c'est tant mieux puisque les hommes adorent regarder les femmes.

Dès qu'un homme est stimulé à la vue d'une belle femme, ou par une pensée libertine, des picotements se font sentir dans ses organes génitaux et, surtout s'il est jeune, il a rapidement une érection. Lorsqu'une femme est stimulée érotiquement, elle ressent plutôt un émoi, une émotion sensuelle qui habite tout son corps : elle se met à vibrer. Plus elle est jeune, plus elle commence à rêver et à se nourrir de cette émotion, de cette **sensualité** : rêves et émotions qu'elle partage à voix basse, dans le secret de sa chambre, avec son amie intime. Son érotisme est davantage sentimental que génital. D'ailleurs, au début de l'adolescence, elle en reste généralement là, n'osant pas approcher l'objet de son désir qui, la plupart du temps, est plus âgé qu'elle et inaccessible : un professeur, un acteur, le grand frère d'une copine, etc. Quant à l'adolescent, il déshabille les filles du coin de l'œil, n'osant les regarder directement et les approcher pour les toucher.

La femme adulte s'organisera pour démontrer à l'objet de son désir sa **réceptivité**, mais elle le fera de façon non intrusive. Elle le laissera venir, lui facilitera parfois la tâche,

L'adolescent se masturbe, l'adolescente rêve.

mais pas trop. Elle aime se sentir désirée et se nourrit des efforts de conquête faits par le prétendant qui ignore qu'elle est déjà sous le charme et qu'il a peu de pouvoir dans ce jeu de la séduction. Par le passé, cette réceptivité a souvent été prise pour de la passivité, ce qu'elle n'est absolument pas. On le constate dans le processus de la séduction où la femme contrôle les quatre premières étapes[9]. L'homme ne peut séduire une femme qui ne veut pas être séduite ; ce n'est qu'à la cinquième étape, celle de l'apprivoisement réciproque, que celui-ci possède un certain pouvoir. Et encore là, il lui faut trouver la bonne vitesse – ni trop vite car il effarouche ni trop lente car il ennuie –, sinon le charme est facilement rompu et la belle cherchera à attirer le regard d'un autre prospect en allant se pavaner devant lui[10]. Une fois en couple, c'est la réceptivité ou non de la femme qui détermine très souvent la fréquence des rapports sexuels, ce que certains appellent le pouvoir occulte.

À part chez l'amazone, la sexualité de la femme est loin d'être aussi intense que celle de l'homme. La raison en est fort simple : les conséquences d'un acte sexuel sont beaucoup plus importantes pour la femme.

---

9. Pour une description détaillée du processus de séduction, voir le chapitre 3 de *Qui sont ces couples heureux ?*.

10. La prise de conscience du pouvoir de la femme dans le processus de séduction amène de nombreux hommes à se mettre sur le mode attente plutôt qu'intrusif, comme l'expliquent Jean-Sébastien Marsan et Emmanuelle Gril dans leur livre *Les Québécois ne veulent plus draguer*, https://www.youtube.com/watch?v = Q72o9d1SIdc.

C'est pourquoi la femme saine veut savoir à qui elle a affaire avant de s'engager dans une activité sexuelle. Elle veut s'assurer de pouvoir se fier à cet homme, car si la relation se développe, c'est tout son être qu'elle livrera dans cette relation, pas seulement ses organes génitaux. C'est aussi son corps, son esprit, son cœur et son âme qu'elle investira dans la grossesse, l'accouchement et l'allaitement. Il est donc compréhensible qu'elle s'investisse moins émotionnellement et sexuellement au début d'une relation et qu'elle soit davantage sur ses gardes. Sa sexualité est plus **globale** et ne se limite pas à la génitalité, comme l'homme, surtout l'homme malsain (+), peut le faire.

La **retenue** constitue donc, pour cette raison, une caractéristique de la sexualité féminine. Rares sont les femmes qui orgasment lors des premières rencontres sexuelles ; rares sont les adolescentes qui ont connu l'orgasme dès les premières tentatives de masturbation. Plusieurs femmes n'ont apprécié les relations sexuelles que plusieurs mois ou années après leur première relation sexuelle. Et même après avoir appris à s'abandonner et à atteindre l'orgasme, elles montrent toujours cette réserve devant leur génitalité : elles valorisent davantage les jeux sexuels préliminaires et prennent généralement plus de temps à parvenir à l'orgasme, même si elles peuvent l'atteindre aussi rapidement que l'homme lorsqu'elles se masturbent.

Cette description admet évidemment des exceptions : certaines femmes ont une sexualité génitale très intense ; d'autres atteignent l'orgasme précocement ; d'autres encore sont très intrusives et font même peur aux hommes ; et certaines sont très visuelles. J'ai, à l'occasion, reçu des couples de 50 ans et plus où c'était la femme qui se plaignait d'une vie sexuelle non suffisamment active, ce qui a été rarement le cas pour des couples de moins de 40 ans. Mais, en dehors de ces exceptions, cette description représente bien la sexualité de la femme « normale ».

L'homme qui veut s'épanouir sexuellement avec sa partenaire ne peut faire abstraction des caractéristiques de la sexualité féminine. Connaître, accepter, valoriser et intégrer les réalités biologiques, comportementales et émotives de sa partenaire dans la vie sexuelle de son couple pourra faire de lui un bien meilleur amant que celui qui, à l'instar des films pornos, se concentre sur la seule génitalité coïtale. L'homme doit accepter que sa partenaire soit séductrice, sensuelle, réceptive, globale et retenue sur le plan sexuel, sans renier sa sexualité visuelle, génitale, intrusive, intense et rapide. Il ne peut exiger d'elle qu'elle se comporte comme un homme sur le plan sexuel ou attendre que ça vienne d'elle. En général, il risque d'attendre longtemps puisque l'une des principales sources de stimulation sexuelle de la femme saine est de sentir l'intensité du désir de son homme. Encore une fois, il ne faut donc pas perdre de vue que l'énergie sexuelle de la femme va de l'extérieur vers l'intérieur (pénétration) et du bas vers le haut (senti-mental). Tenir compte des sensibilités de l'autre encourage ce dernier à tenir compte des siennes.

Toutefois, il faudrait éviter la pire des erreurs que l'on puisse faire dans le domaine de la sexualité humaine, soit de valoriser une caractéristique, féminine ou masculine, au détriment de l'autre. Prenons l'exemple de la rapidité masculine et de la retenue féminine.

> Ne pas parler
> de sexualité, c'est...
> ne pas parler de soi.
>
> MICHEL CONTE

Tous les mâles de toutes les espèces animales, sauf de rares exceptions, éjaculent à la pénétration. Cette caractéristique biologique de la sexualité mâle est devenue, chez l'humain, une dysfonction : l'éjaculation précoce. D'un autre côté, l'orgasme serait absent chez les femelles animales. Pourquoi alors ne pas accuser la femme d'orgasme retardé plutôt que de faire porter le poids de cette différence sur les seules épaules de l'homme ? La réalité biologique est qu'il existe une différence de réactivité génitale entre le mâle et la femelle, différence que le couple doit apprendre à gérer. Tous les hommes peuvent apprendre à éjaculer au moment où ils le décident et toutes les femmes peuvent apprendre à s'abandonner plus rapidement à l'excitation sexuelle[11]. Encore faut-il que cela se fasse dans le respect des caractéristiques sexuelles de l'un comme de l'autre afin de faire disparaître la tension provoquée par le complexe de performance, ennemi numéro un de l'épanouissement sexuel.

> Il n'y a pas de femmes
> frigides, il n'y a que des
> hommes maladroits.

---

11. Le D^r Iv Psalti, auteur de *Migraine ou gros câlin ?*, fait remarquer, lors de ses conférences, que la femme qui se masturbe va directement à sa zone génitale et qu'elle peut orgasmer aussi rapidement qu'un homme.

Valoriser une caractéristique sexuelle revient à établir une norme et, donc, à dire que la personne qui répond à la norme est correcte et l'autre non. Contrairement au proverbe populaire, lequel responsabilise l'homme et déresponsabilise ou «victimise» la femme, il y a, dans la réalité, des hommes maladroits **et** des femmes frigides et, généralement, ils se retrouvent ensemble selon le principe que mon partenaire est mon miroir.

Le cerveau de la femme

Le cerveau (ou encéphale) humain est constitué de trois parties superposées.

1. Le cerveau reptilien, ou primitif (métencéphale), comprend le tronc cérébral et le cervelet. Ce cerveau gère les fonctions essentielles à la survie : respiration, rythme cardiaque, homéostasie. On peut s'y fier, mais il est plutôt rigide et compulsif parce que réflexe.

2. Le cerveau mammalien, ou limbique (mésencéphale), s'est développé à partir du cervelet il y a 200 à 300 millions d'années. Il comprend, entre autres, l'hippocampe, l'amygdale et l'hypothalamus. Il est le siège des instincts et des émotions et contrôle le système nerveux autonome. S'y trouvent aussi le centre du plaisir et le contrôle de l'activité sexuelle. On pourrait dire qu'il est notre inconscient collectif.

3. Le néocortex (prosencéphale) est le cerveau que nous partageons avec les mammifères supérieurs et les primates (baleines, dauphins et chimpanzés), sauf que le nôtre est le plus grand par rapport au corps, ce qui fait notre supériorité. Il est le siège de la conscience, du sens éthique et de la capacité de se projeter dans l'avenir. Le néocortex est malléable et possède des capacités d'apprentissage étonnantes.

Ces trois cerveaux s'influencent continuellement. Le Dr MacLean[12], neurochirurgien, compare le cerveau primitif à un reptile en laisse, le cerveau limbique à un cheval sans cavalier et le néocortex au cavalier.

> Le néocortex est mère de l'invention et père de la pensée abstraite.
>
> PAUL D. MACLEAN

Qu'on le veuille ou non, nos cerveaux naissent avec des programmations qui les rendent différemment sensibles à l'influence de l'environnement. Lorsque l'on compare des cerveaux d'hommes et de femmes, on note de nombreuses *petites* variations anatomiques qui nous permettent de comprendre certaines *grandes* différences psychologiques et comportementales. La tomographie par émission de positons (PET) et l'imagerie par résonance magnétique fonctionnelle (IRMf[13]) nous ont permis d'observer le cerveau en action et en temps réel, et de découvrir les différences suivantes.

- Le cerveau de l'homme pèse en moyenne de 150 à 250 grammes de plus que celui de la femme. Pendant longtemps, on a cru que cela donnait une supériorité mentale à l'homme. Par contre, si l'on compare le rapport de taille cerveau-corps, on ne constate aucune différence entre les sexes. Des études plus récentes ont démontré que le cerveau féminin est plus dense, compensant ainsi la grosseur.

- Le cerveau possède deux hémisphères dont chacun possède ses spécialités. Le gauche, dit scientifique, est plutôt rationnel, analytique et temporel; le siège du langage et de l'écriture s'y trouve. Le droit, dit artistique, est plutôt émotif, synthétique, spatial et non verbal. Or, l'hémisphère gauche est plus développé chez la femme, alors que l'hémisphère droit l'est davantage chez l'homme.

- Les deux hémisphères sont reliés par le corps calleux, faisceau de fibres nerveuses (axones), lequel permet l'échange d'informations

---

12. Paul D. MacLean, *Les trois cerveaux de l'homme*, Paris, Robert Laffont, 1990.
13. L'IRMf est une technique d'apparition récente (début des années 80) permettant d'avoir une vision en deux ou trois dimensions du cerveau humain. Cette technique permet d'enregistrer l'activité cérébrale en direct.

entre les deux. Ce corps calleux possède 40 % plus d'axones chez la femme que chez l'homme, d'où la plus grande capacité de la femme de passer de l'hémisphère émotif à l'hémisphère rationnel.

- Les axones du cerveau féminin disposent de 12 à 13 % plus de dendrites, ce qui facilite une meilleure et une plus rapide transmission d'informations d'une cellule à l'autre et d'un hémisphère à l'autre.

- Certaines parties de l'hypothalamus, glande du système limbique qui, avec l'hypophyse, gère plusieurs fonctions corporelles, sont jusqu'à dix fois plus grosses ou plus denses chez l'homme. L'hypothalamus, parce qu'il contrôle la circulation hormonale, sexualise notre cerveau, notre corps et nos comportements, y compris notre comportement sexuel. Il gouverne ce que les anglophones appellent *the 4 A's*, ou les quatre comportements commençant par la lettre A, soit l'alimentation, l'agressivité, l'activité sexuelle et l'accès de fuite.

- Le cortex cingulaire antérieur[14] évalue les choix et prend des décisions, mais c'est aussi celui qui se fait du mauvais sang. Il est plus volumineux chez la femme.

- Le cortex préfrontal gère les émotions. Non seulement est-il plus gros chez la femme, mais son développement se fait plus rapidement. En général, le développement du cerveau de la fille est en avance d'un à deux ans sur celui du garçon. Cette distinction est particulièrement notable à l'adolescence.

- L'amygdale, le noyau des instincts, est plus grande chez l'homme. C'est cet organe qui enregistre la peur et qui déclenche l'agression.

- L'hippocampe, plus grand et plus actif chez la femme, constitue la plateforme des émotions et régit la formation de la mémoire. C'est l'hippocampe qui fait que la femme n'oublie jamais une dispute, une rencontre amoureuse, un moment de tendresse, une date d'anniversaire, et qu'elle ne vous laissera pas l'oublier.

---

14. Pour en savoir davantage : https://fr.wikipedia.org/wiki/Cortex_cingulaire_ant%C3%A9rieur.

- Les centres du langage et de l'audition de la femme possèdent 11 % plus de neurones.

- La partie du cerveau dédiée aux pulsions sexuelles est 250 % plus importante chez l'homme que chez la femme[15].

- Le cerveau de la femme comporte plus de neurones miroirs que celui de l'homme, ce qui permet à la femme de ressentir plus facilement dans son corps ce que l'autre vit.

Quelles sont les conséquences de ce dimorphisme cérébral sur la psychologie et le comportement humains? La différence de poids ou de densité ne semble pas reliée à quelque conséquence que ce soit, du moins à l'état actuel de nos recherches. Par contre, la latéralisation des deux hémisphères a des répercussions que l'on constate dès le plus jeune âge: les petites filles sont moins agitées que les garçons et ont aussi moins de difficultés dans l'apprentissage du langage, de la lecture et de l'écriture (dyslexie). On constate facilement l'avancée des filles sur les garçons sur le plan du langage bien avant l'âge de deux ans[16]: elles communiquent déjà avec deux à trois fois plus de mots. À l'école, lorsqu'on demande à une fille de se tenir tranquille, on voudrait qu'elle se taise et arrête de ricaner, alors qu'on voudrait que le petit garçon arrête de bouger. Autre exemple, l'appel téléphonique d'une femme dure en moyenne trois fois plus longtemps, et les femmes utilisent en moyenne deux à trois fois plus de mots dans une journée.

> La biologie affecte la réalité, mais ne la verrouille pas.
>
> Dʳᵉ Louann Brizendine

Contrairement à la croyance populaire, la femme est plus rationnelle que l'homme, puisque son hémisphère gauche est plus développé. Ce qui nous fait croire le contraire, c'est que la femme exprime verbalement ses émotions pour créer des liens, alors que l'homme va plutôt les agir afin de

---

15. Fait intéressant, de nombreuses études ont démontré que les caractéristiques du cerveau des homosexuels se rapprochaient davantage de celles du cerveau féminin. Pour en savoir davantage: Doreen Kimura, *Cerveau d'homme, cerveau de femme?*, Odile Jacob, 1999.

16. Pour vous en convaincre: rendez-vous à http://www.youtube.com/watch?v = sDocL7AfIRo.

faire disparaître la source de ses émotions. Alors que les garçons forment des équipes sportives, les filles vont plutôt « copiner » et échanger entre elles les nombreuses expériences, situations et émotions qu'elles ont vécues en relation avec leur entourage. C'est ce qui explique que les amitiés féminines sont généralement plus durables que les amitiés masculines qui, elles, sont plus utilitaires et circonstancielles. En outre, lorsque la femme exprime directement ses émotions, l'expression de celles-ci est plus enthousiaste, plus intense et les mots pour le dire lui viennent plus spontanément. Demandez à une femme comment elle se sent ou comment s'est déroulée sa journée et... prenez le temps de vous asseoir.

La femme exprime davantage ses émotions, ses expériences et ses souvenirs (elle adore revenir sur le passé) parce que son corps calleux est plus développé, ses dendrites plus nombreuses et son hippocampe plus volumineux, lui donnant ainsi un meilleur accès à tout son bagage cérébral. Elle est capable de se rappeler la température qu'il faisait le jour de son mariage alors que son partenaire a parfois de la difficulté à se souvenir de la date de leur mariage. C'est aussi ce qui lui permet d'évoquer toutes les gaffes que son partenaire a faites dans les cinq dernières années... au minimum. De plus, son cerveau est multifonctionnel, comme nous le démontrent les nombreuses expérimentations à l'aide de l'appareil IRMf.

Les faits ne cessent pas d'exister parce qu'on les ignore.

ALDOUS HUXLEY

Lorsqu'on donne à des hommes et à des femmes la même tâche à accomplir, on observe que leurs cerveaux réagissent différemment. Peu importe l'activité exercée, qu'elle soit verbale ou non verbale, la partie interpellée s'activera chez les deux sexes, mais d'autres parties du cerveau de la femme s'activeront aussi, y compris des parties du cerveau qui n'ont rien à voir avec l'activité en question. Le cerveau de la femme fonctionne donc de façon plus holistique[17], alors que celui de l'homme le fait de façon plus latéralisée. Pour vous en convaincre, écoutez une femme parler quelques minutes au cours d'une conversation à bâtons rompus ou lors d'une conversation téléphonique, et calculez le nombre de sujets différents qu'elle aura abordés.

---

17. Holisme : théorie selon laquelle l'être humain forme un tout indivisible. Dans le cas de la femme, le sexe, le corps et l'esprit forment une seule et même entité.

La femme est portée à se faire du mauvais sang, et ce, pour deux raisons : son corps cingulé est plus développé et plus volumineux et elle produit de la progestérone, hormone catabolisante, en quantité industrielle. Faites le test suivant : demandez, autour de vous, aux mères comment elles réagissent lorsqu'elles voient leurs enfants grimper dans un arbre. Et demandez-le ensuite aux pères. La testostérone, qui est un anabolisant, poussera ces derniers à encourager leurs enfants à grimper encore plus haut.

Ces différences se sont lentement développées au cours de l'histoire de l'humanité parce que les hommes et les femmes ne vivaient pas constamment et tout à fait dans le même environnement. Alors que l'homme était souvent parti à la chasse, la femme restait dans et autour de la caverne à s'occuper des enfants et de cueillette. Aussi drôle que cela puisse paraître, cela explique pourquoi les hommes détestent aller dans les magasins et que les femmes adorent cela, du moins c'est l'explication qu'en donne le professeur Daniel Kruger, de l'Université du Michigan[18]. C'est ce qui explique aussi que les femmes voient les moindres détails, surtout ceux qui détonnent, comme le coin poussiéreux que le mari a laissé après avoir passé l'aspirateur ou la saleté laissée sur la vaisselle que vous venez pourtant de laver.

Dans la préhistoire, la femme demeurait à la caverne pendant que l'homme partait à la chasse, tuait et revenait avec son gibier (tout comme aujourd'hui il va au centre commercial pour une raison précise et revient aussitôt son achat effectué). En explorant son environnement (comme aujourd'hui elle explore les boutiques), elle en profitait pour chercher des racines comestibles autour de la caverne, des fruits dans les arbres ou tout autre objet pouvant un jour être utile. En retournant sur les mêmes lieux de récolte, elle pouvait rapidement voir ce qui avait changé (poussé) depuis sa dernière visite. Elle était aussi à l'affût de toutes les petites bêtes (araignées, rats, serpents, scorpions...) qui pouvaient s'infiltrer dans la caverne et s'avérer dangereuses pour la nourriture accumulée et les jeunes bébés. Elle était donc attentive à tout ce qui avait changé depuis sa dernière

---

18. Daniel Kruger, « Evolved foraging psychology underlies sex. Differences in shopping experiences and behaviors », *Journal of Social, Evolutionary, and Cultural Psychology*, décembre 2009.

récolte ou à tout ce qui bougeait dans la caverne, à tout ce qui sortait de «l'ordinaire». En un seul regard, elle a appris à tout voir. Ainsi, à travers les millénaires, elle a développé une vision grand-angle qui a influencé le développement de son cerveau, lequel est devenu un véritable radar : rien ne passe inaperçu.

Les femmes comprennent difficilement qu'un homme ne puisse pas voir la chemise qu'il cherche dans sa penderie alors qu'elle est justement devant ses yeux, le beurre qui est pourtant sur la première étagère du frigo (mais pas à sa place habituelle) ou ses clés qui sont sur le coin du bureau alors qu'il vient de faire le tour de la maison pour les chercher. La chasse a développé une vision télescopique chez l'homme, alors que la cueillette et la surveillance ont stimulé chez la femme une vision périphérique qui lui permet de voir les moindres détails. C'est aussi la raison pour laquelle ses amies remarqueront les deux centimètres de cheveux qu'elle s'est fait couper ou sa nouvelle coiffure, ce que son partenaire de tous les jours verra difficilement.

Le fait d'être conscients que nous sommes programmés pour agir différemment, que nos pulsions proviennent de la constitution biologique de notre cerveau, que nous sommes le résultat d'une interaction permanente entre l'*inné* et l'*acquis*[19] nous donne un grand pouvoir : celui d'agir conformément à notre nature ou d'agir autrement. Nier l'influence de la structure du cerveau et celle des hormones sur notre comportement quotidien, au nom de la liberté ou du politiquement correct, c'est lutter contre notre propre nature. Refuser, d'un autre côté, que nous puissions influer sur la nature et changer nos comportements, c'est nous condamner à l'impuissance. Rien n'est jamais fixé définitivement, tout est changement. La biologie n'est peut-être pas le destin, mais la culture possède aussi des limites qu'elle ne peut ignorer sans conséquence.

---

19. Seuls les idéologues continuent de débattre de l'influence de l'inné et de l'acquis, les uns arguant que «la nature est le destin», les autres que «nous ne naissons pas homme ou femme, nous le devenons». Les scientifiques, quant à eux, savent que nous sommes le produit de l'interaction de la nature et de l'environnement et que l'environnement peut, à travers les millénaires, modifier la nature. Ce qui a donné naissance non seulement à la neuropsychologie, mais aussi à la psychologie évolutionniste.

Pour être heureux en amour, l'homme doit donc savoir et accepter que le cerveau de la femme fonctionne de façon plus globale que le sien et que sa partenaire ne réagira pas par l'action ou la recherche de solutions immédiates, mais plutôt par l'expression verbale de son vécu afin d'entretenir une relation de complicité. Il doit comprendre que le cerveau de sa partenaire fonctionne comme un radar, qu'elle voit tout et dans les moindres détails, non pas pour lui compliquer la vie, mais bien parce que son cerveau possède cette capacité d'être multifonctionnel : elle peut parler, écouter, tout en se rappelant qu'il y a un enfant dans la cour arrière, qu'elle doit téléphoner à sa sœur et qu'elle doit préparer le poulet pour le dîner.

> Cerveau : appareil avec lequel nous pensons que nous pensons.
>
> AMBROSE BIERCE

L'homme doit accepter le paradoxe suivant. Quoique l'hémisphère gauche (rationnel) soit plus développé chez la femme, celle-ci n'a aucune difficulté à fonctionner aussi avec son hémisphère droit (plus émotif). Comme son corps calleux est plus développé et que ses neurones possèdent plus de dendrites, elle trouvera beaucoup plus rapidement les mots (situés dans le cerveau gauche) pour nommer son émotion (située dans le cerveau droit). C'est ce qui donne l'impression aux hommes que les femmes sont hypersensibles et émotives, alors qu'au contraire elles contrôlent beaucoup mieux leurs émotions et savent très bien les exprimer, parfois même de façon théâtrale. Par contre, contrairement à l'homme, sa partenaire peut passer rapidement d'une émotion à l'autre, de la colère à l'amour par exemple, ou des rires aux larmes, ce que les psychologues appellent la labilité émotionnelle.

La femme est loin d'être « une boule d'émotions » et de vouloir « compliquer » les choses, comme le pensent bien des hommes. Non, son cerveau radar passe facilement d'un sujet à l'autre, d'une émotion à l'autre et voit tout. La femme est beaucoup plus rationnelle, logique et en contrôle d'elle-même que l'homme peut le croire. Du moins la femme saine, car la femme malsaine risque de consacrer toute la puissance et la richesse de son cerveau à l'atteinte d'objectifs égocentriques. En fait, la femme sait mieux que l'homme comment utiliser rationnellement ses émotions pour arriver à ses buts.

L'intelligence féminine

Définir l'intelligence n'est pas facile puisque l'intelligence humaine s'utilise elle-même pour se définir. Elle constitue une capacité d'appréhension et d'adaptation à la réalité (matérielle, subjective ou virtuelle) et une aptitude au changement. L'intelligence peut aussi prendre de multiples formes.

Existerait-il une intelligence féminine différente de l'intelligence masculine? D'après de nombreux psychologues, l'intelligence de la femme serait égale à celle de l'homme, contrairement à un certain paradigme du XIXᵉ siècle qui laissait croire que l'homme était plus intelligent que la femme et que l'homme blanc était, de toutes les races, le plus intelligent. Il y a certes des différences d'intelligence selon le sexe et la race, mais celles-ci sont minimes et généralement dues au contexte éducationnel et culturel. Le principal avantage que la femme posséderait sur l'homme tient au fait que, lors de l'administration de tests mesurant le quotient intellectuel (QI), elle démontre une légère supériorité aux sous-tests faisant appel aux capacités verbomotrices, là où l'homme démontre plus d'aisance aux sous-tests spatio-temporels. Cela ne veut pas dire que les hommes ne peuvent pas développer une dextérité manuelle fine et écrire de la poésie ou que les femmes ne sauront pas retrouver leur chemin dans une nouvelle ville, mais l'expérience de tout un chacun nous démontre que les hommes retrouvent plus facilement le nord et que les femmes ont plus de facilité à apprendre une nouvelle langue et à en saisir les nuances.

Ces variations sont toutefois d'ordre quantitatif et sont considérées par plusieurs scientifiques comme négligeables. Effectivement, les différences quantitatives sont minimes, mais elles induisent de fortes différences qualitatives dans le comportement sexué des hommes et des femmes. La théorie de l'évolution de Darwin nous apprend que nous «descendons du singe» et que, pendant des millions d'années, nous avons été, selon les ethnologues, des chasseurs-cueilleurs ou plutôt, pour reprendre l'expression de Claire-Marie Clozel[20], des chasseurs-cueilleuses. Ainsi, en raison du contexte social de l'époque, les hommes ont dû déve-

---

20. Claire-Marie Clozel, *Pourquoi les petits garçons ne sont pas des petites filles... Un secret bien gardé*, Montréal, Éditions Triptyque, 2007, p. 123.

lopper des aptitudes qui faisaient d'eux de meilleurs chasseurs et les femmes, des aptitudes qui faisaient d'elles de meilleures cueilleuses.

Selon la psychologie évolutionniste, la plus grande capacité verbo et sensori-motrice de la femme s'explique facilement. Pendant que les hommes devaient s'éloigner pour aller chasser et accumuler des indices spatiaux pour revenir, les femmes restaient dans et autour des cavernes. Pour cueillir des baies et autres petits fruits sauvages, elles ont dû développer une dextérité manuelle fine pour ne pas les écraser ou les taler. Pour savoir si la nourriture était comestible, elles la sentaient. Pour se protéger des prédateurs de toutes sortes qui rôdaient autour d'elles et des enfants, elles ont créé des codes sonores : elles pouvaient alors s'avertir mutuellement lorsqu'il y avait un danger quelconque. Ces sons sont devenus, avec le temps, un langage tout en nuances. Elles épiaient aussi le moindre bruit, souvent synonyme d'un prédateur à l'affût. Avec le temps, tous les sens des femmes se sont perfectionnés ; ils sont de beaucoup supérieurs à ceux des hommes, sauf en ce qui concerne la vision diurne essentielle pour le chasseur.

Cette sensibilité sur le plan de l'intelligence verbo et sensori-motrice se manifeste dans de multiples aptitudes et comportements féminins actuels :

- de nombreuses femmes ont la phobie des petits animaux : araignées, rats, couleuvres ;

- elles sont particulièrement sensibles à l'intonation utilisée pour parler à leur partenaire et savent percevoir la couleur émotive du ton employé ;

- elles savent, à l'odeur, si la nourriture est périmée et quand il est temps pour leur partenaire de prendre une douche ;

- elles se réveillent au moindre vagissement de leur nouveau-né alors que papa dort sur ses deux oreilles, même quand bébé pleure ;

- elles sont plus intéressées par la décoration de la maison et l'aménagement ;

- elles donnent une description subjective de la route à suivre plutôt qu'une description topographique ;

- elles s'intéressent aux moindres détails, que ce soit sur leur conjoint ou sur leurs enfants, ou dans et autour de la maison;
- elles parlent plus vite et utilisent au moins deux fois plus de mots dans une journée que les hommes.

L'homme sain fera confiance en ces capacités féminines et, s'il en tient compte, saura même en profiter, surtout s'il les considère complémentaires aux siennes et non comme une stratégie utilisée par les femmes pour le rabaisser ou lui compliquer la vie.

Les quatre modes de perception du monde

La réalité est appréhendée selon quatre modes de perception[21].

1. Le mode *physique* représente la réalité objective, celle que nos cinq sens nous renvoient et qui peut être mesurée (faits et gestes).
2. Le mode *intellectuel* regroupe la pensée, l'imagination, la connaissance, les attitudes mentales, la planification, le sens éthique.
3. Le mode *émotionnel* représente la réalité subjective.
4. Le mode *spirituel* relève aussi de la réalité subjective. Ici, le terme «spirituel» est pris dans le sens[22] de lien et dans celui de «ce qui est de l'ordre de l'esprit».

La réalité objective fait référence au monde extérieur à soi, alors que la réalité subjective s'intéresse davantage au monde intérieur. La femme est un être qui se vit d'abord et avant tout à l'intérieur d'elle-même. On n'a qu'à écouter n'importe quelle discussion entre femmes pour s'en rendre compte.

Il est intéressant d'observer les jeux des petits garçons et des petites filles, surtout si vous les laissez à eux-mêmes et n'intervenez pas dans

---

21. Ce modèle a été développé par Joe Tanenbaum.
22. Du latin *religare*: relier. À l'origine, le lien est avec Dieu, mais je l'extrapole aux liens entre êtres humains.

leurs choix de jouets. Quoiqu'il puisse y avoir des exceptions, les garçons choisiront plus souvent des jouets compétitifs et les filles, des jouets relationnels. Et si ces derniers sont inversés, l'utilisation sera quand même sexuée. Par exemple, les garçons chercheront le mécanisme qui fait pleurer la poupée, alors que les filles, dans un carré de sable, feront discuter entre eux les chauffeurs de deux camions. Observez, et vous verrez !

Écoutons un couple discuter lors d'une balade en voiture dans un quartier huppé de la ville.

Elle : «Comme ce serait agréable d'avoir une belle maison comme celle-ci, avec vue sur le fleuve. »

Lui : «Voyons, chérie, tu sais très bien que nous n'avons pas les moyens de nous payer une telle demeure. »

Elle : «Je sais bien que nous n'en avons pas les moyens, mais j'ai bien le droit de rêver, n'est-ce pas ? »

Lui : «Pas par les temps qui courent, surtout au moment d'une crise économique. Mais si jamais on gagne un gros montant d'argent... »

Elle : «Tu n'es vraiment pas romantique... »

Lui : «Comment ça, je ne suis pas romantique ? »

Elle : «Tu veux toujours avoir raison. »

Lui : «? !?! »

Ce genre de dialogue est très fréquent dans un couple. Madame rêve et exprime des désirs, alors que Monsieur, ne s'attardant qu'à des projets réalisables, sape le plaisir de sa partenaire par des considérations matérielles. Et il est surpris de se faire dire qu'il ne comprend rien à rien.

Nous savons que l'homme, malgré son cerveau émotif plus développé, préfère fonctionner sur les modes physique et intellectuel. La pensée de l'homme exprime la réalité par son corps. L'homme aura parfois des « réactions » émotives, mais rarement un état émotif sans raison. Il aura plutôt des pensées tristes ou heureuses, et il les exprimera physiquement. Quant à la spiritualité, il l'envisage en termes de constructions de cathédrales (mode physique) ou en élaborant des philosophies (mode intellectuel). Les femmes fonctionnent aussi sur ces deux premiers modes de perception, mais rares sont celles qui s'y cantonnent. Elles existent aussi sur deux autres plans plus difficilement compréhensibles pour de nombreux hommes. Si, dans l'exemple ci-dessus, il y avait eu deux femmes dans la voiture, la seconde aurait renchéri sur le rêve de sa copine et toutes les deux en auraient ri, tout en sachant très bien qu'elles rêvaient.

L'homme ne comprend pas que sa femme puisse se lever un matin en se sentant triste ou heureuse, sans raison particulière, ou qu'elle puisse discuter avec grand plaisir avec sa copine de sujets qui lui paraissent tout à fait futiles, seulement pour le plaisir d'être en relation avec cette amie. Pour être heureux avec sa partenaire, l'homme doit se montrer ouvert à l'expression de ces deux modes d'existence et ne pas minimiser ou ridiculiser cette réalité subjective. Sinon, sa partenaire risque de lui communiquer de moins en moins son vécu intime, de le faire de plus en plus avec ses amies en le tenant à l'écart ou, pire, de dire ce qu'elle croit qu'il veut entendre.

La meilleure stratégie de l'homme consiste tout simplement à écouter, écouter et encore écouter et, surtout, à ne pas proposer à sa partenaire des solutions toutes faites. Il ne doit pas chercher à faire disparaître les émotions de sa partenaire et à la ramener « les deux pieds sur terre ». Ce faisant, elle aura l'impression d'être jugée et critiquée ou encore elle pensera qu'il cherche à lui dire qu'elle manque d'intelligence. Sa solution, à elle, c'est d'échanger ses émotions et son désir le plus fort : être comprise, ou du moins entendue, et partager le plaisir d'être intime avec l'autre en explorant son monde subjectif (affectif).

La femme qui se tait prépare son divorce.

Alors que les petits garçons jouent généralement à des «jeux de règles», les petites filles jouent à des «jeux de rôles». Dans le premier, il est important de suivre les règles, sinon on risque de se faire traiter de tricheur. Dans le second, tout peut être improvisé; l'essentiel est que chaque joueur, ou plutôt joueuse, y trouve son compte. Les jeux des petits garçons et des petites filles présagent déjà les relations conjugales: pour l'homme, la réalité matérielle est au centre de sa vie; pour la femme, c'est la personne qui est la plus importante. Oui, elle aimerait vivre dans un château, mais à quoi sert un château si le prince n'y est pas ou n'y est pas présent... totalement?

Elle: «Chéri, est-ce que tu m'aimes?»

Lui: «Je suppose que oui si je t'ai épousée.»

Elle: «J'ai parfois l'impression que tu n'es pas là.»

Lui: «Voyons, je reviens à la maison tous les soirs.»

Elle: «Je veux dire: vraiment là. Tu es là, oui, mais je n'ai pas l'impression que tu es vraiment là pour moi. Tu fais tes choses, mais c'est comme si je n'existais pas. J'aimerais ça que l'on soit plus souvent *ensemble*.»

Lui: «Mais qu'est-ce que tu veux dire? On est toujours ensemble. Tous les soirs, tous les week-ends... On passe même nos vacances ensemble.»

Elle: «Tu ne comprends pas ce que je veux dire. J'aimerais qu'on se parle plus souvent.»

Lui: «Mais... qu'est-ce qu'on fait, là, présentement? Les femmes... Toujours en train de compliquer les choses.»

Elle: «D'accord! Laisse tomber. Fais comme si je n'avais rien dit.»

Cet échange vous dit quelque chose? La suite dépend, la plupart du temps, de la réaction de la femme: elle laisse tomber ou elle en rajoute. Pour la femme, faire des choses l'un à côté de l'autre ne signifie pas être *ensemble*. Elle a besoin de sentir que les deux partenaires sont intimement, affectivement, spirituellement connectés. Deux joueurs de golf vont facilement jouer une partie en limitant leurs échanges sur leurs techniques ou l'actualité du jour (ou en échangeant des blagues), mais deux joueuses profiteront de tous les moments d'arrêt pour échanger entre elles sur des sujets très variés. Les deux paires jouent *ensemble*, même s'ils ne jouent pas de la même façon.

Une autre source de malentendus entre hommes et femmes quant à leurs modes de perception se vérifie tous les jours dans les relations interpersonnelles: le contact physique. Lorsqu'une femme – collègue, voisine ou amie – touche spontanément un homme ou lui fait une embrassade, ce dernier interprète facilement que celle-ci veut passer au mode physique (sexuel). S'il se montre plus affectueux, plus attentif, c'est elle qui croira à son tour qu'il est en train de la draguer alors que, pour elle, ce n'était qu'un geste amical signifiant l'existence d'un lien.

C'est la même chose qui se passe à l'intérieur d'un couple lorsque la femme demande un peu d'affection dans les bras de son homme. Celui-ci peut facilement croire qu'elle est disposée à faire l'amour.

Elle: «Chéri, je suis tellement bien dans tes bras. Je t'aime.»

Lui: «Moi aussi, je t'aime, ma chérie.» (Monsieur commence à la caresser.)

Elle: «Mais... est-ce moi que tu aimes ou seulement mon corps?»

L'homme heureux en amour (et dans sa sexualité) sait faire la différence entre une demande d'affection et d'intimité et une invitation sexuelle. Je l'admets, ce n'est pas toujours facile. Mais l'homme qui veut s'épanouir avec sa partenaire doit comprendre que, à côté de ses «règles du jeu» (physiques et rationnelles), existe une tout autre réalité faite de subjectivité, d'affectivité et de spiritualité. Il doit apprendre que la relation n'existe pas seulement par des échanges d'idées ou des échanges physiques, mais aussi de cœur à cœur et d'âme à âme.

Filles et femmes adorent les échanges interpersonnels. C'est comme ça qu'elles apprennent à être mères et aidantes naturelles. C'est comme ça qu'elles se sentent vivre : en nourrissant et en entretenant des relations intimes. Plusieurs femmes cotent leur valeur au nombre de leurs relations. C'est ainsi qu'elles évaluent leur bonté et qu'elles deviennent des femmes saines. C'est ainsi qu'elles apprennent à satisfaire leurs besoins personnels en satisfaisant ceux des autres.

L'homme dont la femme saine deviendra et restera amoureuse sera celui qui respectera sa manière subjective de s'investir dans le couple et qui acceptera de discuter avec elle sur les plans émotif et spirituel. La femme est aussi attirée par l'esprit de l'homme[23], non seulement par sa puissance. L'humour spirituel est une excellente technique de séduction. La femme finit par désirer celui qu'elle aime et dont elle se sent aimée, et pour se sentir aimée, elle a besoin de se sentir comprise et sur la même longueur d'onde que son partenaire. Seules les femmes malsaines (amazones ou terrifiées par la solitude) vont se donner au premier venu après seulement quelques heures de rencontre. Les autres prendront le temps de savoir à qui elles ont affaire avant de s'abandonner « âme et corps ».

Confirmée dans son émotivité et sa spiritualité, la femme acceptera beaucoup plus facilement de s'ouvrir au monde rationnel et physique (y compris sexuel) de l'homme, la

> Femme qui rit,
> à moitié dans ton lit[24].

femme étant aussi un être à la recherche de plaisirs concrets et de confort matériel. Elle ne saura jamais l'être autant que l'homme le voudrait, mais au moins obtiendra-t-il suffisamment de satisfaction pour qu'il ne soit pas obligé d'aller chercher ces plaisirs dans les bras d'une autre femme ou sur Internet. Niée dans sa façon d'être au monde ou accusée de vouloir tout compliquer, toute tentative de la *raisonner* la poussera à chercher auprès

---

23. À noter que « spirituel » fait aussi référence à « avoir de l'esprit », c'est-à-dire s'exprimer de manière appropriée et amusante.
24. http://www.aufeminin.com/news-societe/couple-femme-qui-rit-est-a-moitie-dans-ton-lit-la-preuve-scientifique-s89663.html.

d'un collègue de travail l'écoute et la compréhension dont elle a besoin. Elle en déduira que son homme ne s'intéresse pas à elle ou qu'il ne le fait que lorsqu'il veut satisfaire ses plaisirs égoïstes. C'est du moins ce que de nombreuses femmes m'ont confié en consultation.

L'homme qui veut être heureux avec sa partenaire doit reconnaître, comprendre et accepter qu'elle ne pense pas, ne se sent pas et ne se vit pas tout à fait comme lui, qu'elle a accès à un monde inconnu de lui, que ses priorités ne sont pas limitées aux plans physique et rationnel et qu'elle vit dans un monde subjectif. Il doit cesser de croire qu'elle est séduite et conquise une fois pour toutes et prendre le temps de l'écouter pour l'apprivoiser et vibrer sur la même longueur d'onde qu'elle. La femme reconnue dans son *être* s'ouvrira plus facilement au *faire* de l'homme. De nombreux auteurs mettent l'accent sur l'*être* plutôt que sur le *faire* ou l'*avoir*, confirmant ainsi la perception de la femme qu'*avoir* ou *faire* n'est rien si l'amour n'existe pas. « Le cœur a ses raisons que la raison ne connaît point » : cette citation de Pascal illustre bien qu'il avait compris la philosophie féminine. La femme est un être de relation avant d'être un être d'action. Elle y arrivera d'autant plus rapidement qu'elle sera aimée pour ce qu'elle est.

> **L'essentiel est invisible pour les yeux.**
>
> SAINT-EXUPÉRY

L'hérédité femelle

Nous savons que le code génétique de l'homme s'est stabilisé il y a exactement 59 000 ans ; celui de la femme, il y a 143 000 ans[25]. Du point de vue génétique, le sexe femelle est le sexe de base et le sexe mâle, une stratégie évolutive pour assurer la survie de la femelle. Contrairement à la croyance de Simone de Beauvoir[26], la science nous prouve hors de tout doute que c'est plutôt le mâle qui constitue le deuxième sexe. Il s'agit d'observer la nature pour se rendre compte jusqu'à quel point le mâle ne sert, dans 92 % des espèces animales, qu'à la reproduction et

---

25. Johnson, Olive Skene, *The Sexual Spectrum*, Raincoast Books, Vancouver, 2004, p. 33-34.

26. De Beauvoir, Simone, Tome 1 : *Deuxième sexe : les faits et les mythes* ; Tome 2 : *Deuxième sexe : l'expérience vécue*, Paris, Gallimard, 1949.

que plusieurs d'entre eux sont sacrifiés dès leur mission biologique accomplie.

Pour mieux comprendre la femme moderne, retournons à nouveau à l'ère paléolithique. Débutée il y a trois millions d'années, cette période s'est terminée, il y a 12 000 ans, avec notre ancêtre commun, l'*homo sapiens*, apparu sur terre il y a plus de 200 000 ans. Curieusement, le mot *sapiens* signifie intelligent, sage, raisonnable et prudent, soit tout ce que priorise l'homme d'aujourd'hui, contrairement à la femme qui priorise le monde subjectif de l'intimité, du relationnel et du spirituel.

Qu'était et comment vivait la femme (la femelle) il y a quelque 143 000 ans ? Elle est nomade et se nourrit de chasse et de cueillette, tout comme son compagnon. Toutefois, sa survie en tant qu'individu dépend de sa relation avec un mâle fort, pourvoyeur et prêt à la défendre contre tous les prédateurs de l'époque, y compris contre les autres tribus et espèces humaines. Pendant qu'il va à la chasse, elle s'occupe de la cueillette (baies, champignons, racines), de la préparation des aliments, de la confection des vêtements et de la survie des petits. L'espérance de vie ne dépasse pas 25 ans.

La femme souvent enceinte, vivant dans la caverne avec les autres femmes et enfants, devant apprendre à cohabiter dans un espace restreint, anticipant tout danger potentiel, surveillant le feu, nourrissant ses enfants à même ses réserves corporelles, attendant les chasseurs pour refaire ses forces, paniquant au moindre bruit suspect, cueillant tout ce qui est comestible, goûtant à tout, réconfortant les autres femmes, développant ainsi sa force émotive et ses sens... Tout ça conditionne une femme et s'inscrit dans sa nature[27].

27. Dallaire, Yvon, *Moi aussi... Moi... plus. 1001 différences homme-femme*, Éditions Option Santé, p. 16.

Tout cela, vécu pendant des centaines de milliers d'années, n'a pu que créer des atavismes[28] qui se sont finalement inscrits dans l'hérédité femelle : l'instinct nourricier et protecteur, en contrôle de son environnement rapproché. Ce qu'elle est encore aujourd'hui, comme nous le prouve le grand nombre de femmes impliquées dans les mouvements socialisants, les mouvements de protection de l'environnement, les mouvements ésotériques (mode spirituel) et le monde des aidants naturels.

Nos conditions de vie ont certes grandement évolué depuis 12 000 ans, moment où nous sommes passés du nomadisme à la sédentarité, et surtout depuis 100 ans, moment où nous sommes passés, dans les pays développés, de sociétés agricoles et industrielles à des sociétés post-technologiques basées sur l'échange d'information. Nos conditions de vie ont changé, mais notre code génétique est resté le même : nous réagissons instinctivement selon des atavismes datant de l'âge des cavernes. Ces cavernes ont été remplacées par des maisons, mais nos comportements ont peu évolué. On ne change pas l'hérédité humaine (son code génétique et son ADN) comme ça, en claquant les doigts ou selon les croyances d'un mouvement idéologique même égalitaire.

Cet instinct nourricier-protecteur se manifeste de multiples façons chez la femme moderne :

- Demandez à une femme ce qu'elle ferait s'il ne lui restait qu'un an à vivre, et elle vous dira probablement, comme 90 % de mes clientes, qu'elle se rapprocherait des personnes qu'elle aime pour passer plus de temps avec elles et s'en occuper encore mieux. Cela démontre bien que la relation est au centre de la vie des femmes et que l'expression « maman poule » va très bien à la majorité des femmes.

- Si, en plus, vous demandez à des femmes ce qu'elles feraient en se rapprochant ainsi des membres de leur entourage, plusieurs vous diront qu'elles se mettraient à leur service pour répondre à leurs besoins, et d'autres vous diront qu'elles partiraient en voyage avec

---

28. Atavisme : une prédisposition conditionnée avec le temps à certains comportements et qui refait surface dans des périodes de stress.

eux (confirmant l'aspect nomade de la nature humaine). Partiraient-elles avec son compagnon, plus qu'avec leurs enfants, amis ou parents ? Cela dépend de la qualité de la relation qu'il aurait entretenue avec sa partenaire.

- Lorsque les hommes des cavernes partaient à la chasse, parfois pour plusieurs jours, les femmes se retrouvaient entre elles et avec les enfants. Elles s'occupaient à faire de la caverne un endroit convivial et elles

> Les femmes se sentent puissantes lorsqu'elles peuvent rendre service.
>
> DEBORAH TANNEN

surveillaient constamment l'environnement à la recherche du moindre danger potentiel. Dès que l'une d'entre elles entendait un bruit bizarre, constatait un changement dans l'environnement, voyait quelque chose bouger, elle s'empressait d'alerter l'entourage, car si un prédateur (bête ou homme) s'approchait subrepticement, il pouvait constituer un danger mortel. Cela peut expliquer (aussi) pourquoi les femmes sont plus attentives aux moindres détails et imaginent facilement des scénarios de catastrophe. Et pourquoi, encore aujourd'hui, les femmes s'occupent davantage des enfants et les préviennent de tous les dangers potentiels, qu'elles ont parfois tendance à exagérer (selon de nombreux hommes). Bien gérée, cette surveillance devient une excellente attitude préventive ; mais poussée à l'extrême, elle devient une source inépuisable de phobies, mène à un contrôle excessif ou se développe en trouble obsessionnel compulsif (TOC)[29].

- Les femmes pratiquaient la cueillette et préparaient la nourriture. Ce sont encore elles qui, aujourd'hui et dans la plupart des familles, vont « cueillir » les aliments à l'épicerie et s'occupent de la préparation des repas pour leur famille. Même si la majorité des grands chefs cuisiniers sont des hommes, ils sont à la maison rarement plus que des aides-cuisinières. On observe toutefois une

---

29. Quoique le TOC touche également les hommes et les femmes, il est intéressant de noter que la phobie de la saleté, celle du lavage des mains et les vérifications obsessives sont plus fréquemment féminines que les obsessions sexuelles qui sont plus fréquentes chez les hommes.

certaine évolution : les femmes-chefs sont de plus en plus présentes dans les restaurants, et les hommes partagent de plus en plus les tâches à la maison.

- Les filles et les femmes s'investissent davantage – malgré des concours *Chapeau, les filles !*[30] – dans des professions « au service des autres » ou des professions de soins[31] : secrétariat, assistance sociale, éducation spécialisée, sciences infirmières, puériculture, enseignement, psychologie, médecine, bref, des professions où l'entraide, plutôt que la compétition, constitue la première caractéristique. Leur carrière passe en second, après leur famille, comme nous le prouve le nombre incroyable de femmes qui préfèrent travailler à temps partiel lorsque les mesures de conciliation travail-famille ne sont pas suffisamment adaptées.

- La cueillette, contrairement à la chasse, n'est pas une affaire de « tout ou rien » : tuer ou être tué. Pour chasser, les hommes forment des groupes d'autant plus importants que le gibier visé est gros. Pour la cueillette, pas nécessaire d'avoir un plan ou d'y aller à plusieurs, et l'on peut cueillir un peu, beaucoup, énormément. Par contre, mieux vaut y aller à deux ou trois pour surveiller les prédateurs potentiels (tigres, hyènes, serpents…). Si les petits groupes de cueilleuses sont toujours formés des mêmes femmes, il se développe alors un langage commun pour se surveiller l'une l'autre et se prévenir de l'importance du danger. Encore aujourd'hui, les filles et les femmes ont quelques amies intimes et à vie, alors que les hommes développent davantage des amitiés circonstancielles et en réseaux, comme pour le temps d'une chasse.

---

30. http://www.education.gouv.qc.ca/references/concours-prix-et-distinctions/chapeau-les-filles-et-son-volet-excelle-science/.

31. C'est ce que le journaliste norvégien Harald Eia a démontré dans son documentaire *Le paradoxe norvégien*, https://www.youtube.com/watch?v = hQYiub1hkSw. Il conclut que c'est dans les sociétés les plus égalitaires que les femmes choisissent le plus de professions dites traditionnellement féminines, car elles sont libres de choisir.

- Lors de divorces controversés, la garde des enfants est confiée à la mère dans une proportion de plus de 80 %, confirmant la croyance ancestrale que les femmes sont mieux placées que les hommes pour s'occuper, nourrir et protéger les enfants. Lors de ces divorces, des femmes malsaines exagèrent leur crainte que leurs enfants soient maltraités par leur père et feront tout (y compris parfois de fausses allégations) pour s'en assurer la garde.

- Le fait que seules les mères peuvent biologiquement nourrir leur bébé au sein pourrait expliquer le grand désir de certaines de « rester à la maison (la caverne) » auprès de leurs jeunes enfants tout le temps ou le plus longtemps possible après une grossesse. Les centaines de milliers d'années à s'occuper des enfants expliquent l'attroupement général et la montée d'attendrissement des femmes lorsqu'elles se retrouvent devant un nouveau-né, humain ou animal. Remarquez également la tendance des femmes ménopausées à jouer à la mère nourricière avec leurs petits-enfants. Avez-vous déjà vu des hommes se rassembler autour d'un berceau et s'extasier entre eux devant le bébé ?

Pour être heureux à long terme avec la femme qu'il a sélectionnée (ou qui l'a sélectionné), l'homme n'a pas le choix : il doit accepter ce que j'appelle la « mamante » qui existe dans sa partenaire, la nourricière-protectrice conditionnée par sa mission biologique et confirmée par ses atavismes et par son éducation. Il doit cesser de croire qu'elle le prend pour un petit garçon lorsqu'elle lui donne des conseils non sollicités, lorsqu'elle vérifie s'il est bien habillé, lorsqu'elle lui demande s'il n'a pas oublié quelque chose, lorsqu'elle lui dit de faire attention, lorsqu'elle veut savoir comment il se sent ou à quoi il pense... Tout cela, pour une femme, constitue des preuves d'amour, de sollicitation et d'entraide, des preuves qu'elle s'intéresse à son partenaire et veut son bien-être. C'est son altruisme égoïste. L'homme devrait, au contraire, s'alarmer lorsqu'elle le laisse trop en paix. Une femme ne donne jamais de conseils non sollicités à des gens qu'elle n'aime pas.

La survie physique dépend certes de l'alimentation, de la défense du territoire, de la sexualité et du confort matériel, domaines traditionnellement investis par les hommes, mais que serait la vie si elle ne consistait qu'à se nourrir, se défendre, se reproduire et accumuler des biens? De tout temps, les femmes se sont aussi préoccupées de leur survie physique et de celle de leur progéniture, mais elles se sont aussi, sinon surtout, préoccupées du bien-être émotif et psychologique de leur entourage, parfois au détriment du leur. Reconnaître la fonction «maternante» de sa partenaire, c'est reconnaître une grande part de sa féminité. Cette femme ne pourra qu'être reconnaissante envers l'homme qui la confirmera ainsi dans son être et dans sa façon d'être en relation avec lui et avec les autres.

Je trouve particulièrement triste et malheureuse l'idée féministe radicale qui affirme que la femme ne sera libre que le jour où elle se libérera de sa maternité et du mariage. Que des femmes ne veuillent pas avoir d'enfants, c'est leur choix. Mais demander aux femmes de cesser d'être des êtres de relation (maternelle, amoureuse et sexuelle), il y a là un pas que toute femme saine refusera de faire. Cette dernière veut se réaliser en trouvant un partenaire de vie avec lequel remplir sa mission biologique. Ce qui ne l'empêche nullement de se réaliser aussi comme professionnelle, tout en préservant un espace pour ses activités personnelles et sociales. L'homme sain et heureux fera tout pour l'y aider et travaillera lui aussi à trouver un meilleur équilibre famille-travail, tant pour lui que pour sa partenaire et ses enfants. La société ne s'en portera que mieux. Il me semble que l'on peut être une féministe saine tout en restant féminine.

> **La principale menace à l'égalité s'avère... les enfants.**
>
> E. Fox-Genovese[32]

La pensée féminine

À la fin de mon adolescence, j'étais convaincu que l'homme était rationnel et la femme, intuitive. Je n'y voyais aucun mal, seulement deux façons de penser qui possédaient chacune leur richesse. J'avais même appris que ces deux modes de pensée étaient complémentaires. Je savais

---

32. Vous trouverez d'autres citations du même genre au chapitre 2: «Les femmes qui haïssent les hommes», dans *Homme et toujours fier de l'être*, Éditions Québec-Livres, 2015.

que la femme était contrôlée par ses hormones, d'où ses humeurs changeantes. Puis, lors de ma formation en psychologie, sous l'influence du behaviorisme[33], j'ai appris que tout cela était faux, que tout était une question de conditionnement, qu'il était erroné de prétendre que «la nature est le destin». À cette époque, et encore aujourd'hui dans certains milieux, pour être politiquement correct, il fallait adhérer au nouveau credo qui affirmait que «la culture est le destin». C'est Simone de Beauvoir qui en a été le plus bel exemple en répétant: «On ne naît pas femme, on le devient[34].» Et, je l'avoue, j'y ai adhéré un long moment, tout comme j'ai adhéré à d'autres formulations théoriques sur la communication non violente qui était censée régler tous les conflits conjugaux.

J'arrive à la fin de ma carrière et je rigole un peu lorsque je repense à la naïveté du jeune homme que j'étais alors. Non pas que je le condamne, au contraire, il était à la recherche de la *vérité* et faisait confiance à ses professeurs, lesquels étaient tous de bonne foi, cherchant eux aussi à comprendre. Mais

> Plus un mensonge est gros et plus il est répété souvent, plus il finit par être cru.
>
> Joseph Goebbels

la psychologie a grandement évolué depuis ce temps et les nouveaux outils technologiques nous ont permis de développer de nouvelles théories psychologiques, dont la neuropsychologie et la psychologie évolutionniste, théories qui remettent certaines conclusions récentes en question et qui confirment certains concepts plus anciens. Ces concepts, malgré leurs bases scientifiques, sont parfois qualifiés de rétrogrades, de patriarcaux ou, pire, de sexistes, pour ne pas dire antiféministes.

---

33. La théorie behavioriste fait du comportement observable l'objet même de la psychologie, théorie dans laquelle l'environnement est l'élément clé de la détermination et de l'explication des conduites humaines. La nature de l'individu y est sous-estimée au profit d'une grande valorisation de l'environnement culturel. Ce mouvement a été particulièrement populaire au milieu du siècle dernier. Qui n'a pas entendu parler du chien de Pavlov? Pour un résumé succinct: https://fr.wikipedia.org/wiki/B%C3%A9haviorisme.

34. En réalité, c'est Érasme qui a dit, il y a fort longtemps: «On ne naît pas homme, on le devient.»

Aujourd'hui, grâce au PET et à l'IRMf, il est possible de démontrer que l'homme raisonne logiquement et la femme, en plus, intuitivement. Les deux sont évidemment capables de raison, mais les moyens pour y arriver divergent quelque peu et donnent des résultats variables. Ces observations scientifiques sont réalistes et loin d'être sexistes, au contraire. Elles permettent de mieux comprendre certaines caractéristiques sexuelles et d'en faciliter le respect mutuel. Non invasif, l'examen par IRMf est de plus en plus utilisé en neurosciences cognitives parce qu'il nous permet de mesurer en temps réel l'activité des zones cérébrales. Ce qui fait qu'aujourd'hui nous connaissons mieux les bases neurologiques de la pensée et nous pouvons affirmer que le cerveau unisexe n'existe pas ; il possède un sexe, mâle ou femelle. Oui, le cerveau est malléable, très malléable, mais il y a des limites à cette malléabilité[35].

J'ai déjà énuméré les principales propriétés du cerveau féminin et du cerveau masculin. Qu'il suffise de rappeler que les parties du cerveau féminin sont en continuelles interrelations et que ce cerveau est plurifonctionnel, ce qui n'est pas le cas pour le cerveau masculin. Ces interrelations et cette plurifonctionnalité sont les fondements d'un cerveau intuitif. L'intuition est cette capacité qu'une personne possède de *sentir* ou de *deviner* des choses, et d'arriver à des conclusions sans passer par le processus de la déduction aristotélicienne. Rares sont les hommes qui ont ce genre d'intuition. Par contre, ceux qui ont développé cette intuition se sont souvent écriés, à l'instar d'Archimède : « Eurêka ! » (« J'ai trouvé ! ») De grands génies hommes ont su développer cette intuition : Newton, Darwin, Freud, Einstein et Pasteur[36].

Ces nouvelles découvertes nous permettent de mieux définir le processus de la pensée féminine, lequel possède trois caractéristiques fondamentales.

1. **Linéarité.** Quoique toute femme puisse très bien procéder de façon linéaire (logique) en partant du point A pour arriver au point E, en passant dans l'ordre par les points B, C et D, elle fonctionne

---

35. C'est le néocortex qui est le plus malléable et capable d'apprentissage. Les deux autres cerveaux, reptilien et limbique, sont plus rigides et instinctifs.

36. Il semblerait que plusieurs des inventions de Pasteur devraient plutôt être attribuées à sa femme, Marie Laurent.

aussi de façon non séquentielle, comme nous le prouve la réflexion suivante d'une femme à propos de son avant-midi.

« Bon, ce matin, je vais aller porter ton complet chez le nettoyeur. Je voulais le laisser hier, mais j'ai été retenue à la réunion jusqu'à six heures. Ensuite, puisque je serai toute proche, je vais passer par le magasin pour rapporter ce pantalon que j'ai acheté la semaine dernière ; tu sais, celui qui a une petite tache, juste là, sur le devant. En réalité, je devrais peut-être aller au magasin d'abord, parce qu'il y aura moins de monde, puis ce sera chez le nettoyeur après. Oui, je pense que ça va aller mieux ainsi. C'est tellement difficile de stationner au centre commercial, quand c'est achalandé. Oh ! J'ai presque oublié, j'ai promis à Claudette de lui donner le numéro de téléphone de mon acupuncteur. Je ferais mieux d'aller l'écrire. Où est-ce que j'ai laissé mon agenda ? Chéri, as-tu vu mon agenda quelque part ? Bon, voyons ! La dernière fois que je l'avais, c'est quand je parlais au téléphone, dans la cuisine... »

Sans dire que Madame fait du coq à l'âne, elle va d'une idée à une autre, revenant sur la première, en ajoutant une nouvelle, ce qui lui permet ainsi, tranquillement, de planifier son avant-midi, planification qui peut changer du tout au tout si, par exemple, une copine lui propose une activité. Non seulement la femme pense-t-elle de façon non séquentielle, mais elle agit aussi souvent de la même façon. On peut facilement le constater lors d'une activité que la majorité des femmes adorent et que la plupart des hommes abhorrent : faire des courses. Rares sont les femmes qui, pour donner un autre exemple, vont suivre les flèches indiquées au sol lors d'une exposition. Elles vont là où leur attention les attire.

Cette manière de penser et de dire peut sembler incongrue et désordonnée pour bien des hommes, mais elle manifeste beaucoup de flexibilité. L'homme peut trouver que sa partenaire parle trop, mais, que voulez-vous, la plupart des femmes pensent à voix haute. L'homme aurait plutôt eu tendance à dire : « Chérie, j'ai une foule de choses à faire ce matin ; je te reverrai plus tard. » Ce qui peut donner à sa partenaire l'impression qu'il lui cache quelque chose.

2. **Plurifonctionnalité.** Nous savons que le cerveau de la femme fonctionne comme un radar et qu'il est, de ce fait, plurifonctionnel : plusieurs petites lumières peuvent être allumées en même temps sur l'écran radar. On sait aussi que l'intuition est la capacité de mettre en commun des choses qui, en apparence, ne sont pas reliées entre elles. Comment expliquer autrement que, dans l'exemple ci-dessus, la « lumière » Claudette se soit allumée tout d'un coup, alors qu'elle pensait au nettoyeur. Et, quelle coïncidence, le téléphone sonne et... c'est Claudette qui l'appelle pour lui redemander le numéro de téléphone de son acupuncteur : deux radars qui se croisent.

La vie de nombre de femmes est remplie de telles coïncidences. De là à dire que la femme peut prédire l'avenir, il n'y a qu'un pas que de nombreuses cartomanciennes, diseuses de bonne aventure, tireuses de tarot, auteures d'horoscopes et autres[37] se sont empressées de franchir. Si ces dernières prédisent surtout des bonnes nouvelles, il n'en va pas de même dans la vie de tous les jours où certaines femmes vont plutôt « avoir des intuitions » que quelque chose va mal aller, qu'une catastrophe est imminente, que ses pires cauchemars risquent de se réaliser. Elles appellent ces intuitions des « pressentiments[38] ».

3. **Spontanéité.** La pensée féminine fonctionne selon des règles variables et changeantes, ce qui la rend très spontanée. L'homme ne change pas ce qui fonctionne bien ou a déjà bien fonctionné. La femme adore changer et trouver de nouvelles façons de faire les choses. Cela est particulièrement vrai dans le domaine de la

---

37. Avez-vous remarqué qu'il y a beaucoup plus de femmes dans le monde de l'ésotérisme ?

38. Personnellement, les pressentiments de ma partenaire sur de potentiels associés m'ont souvent été utiles en affaires.

sexualité où la femme déteste entendre son partenaire lui faire part de son désir de faire l'amour «ce» soir et encore plus de toujours faire l'amour de la même manière, selon la même séquence et toujours à la même place. Elle préfère l'amour spontané et quand tous les dangers potentiels (enfants ou voisins qui peuvent entendre, rancunes relationnelles...) sont éliminés. Autre exemple: elle ira magasiner pour le plaisir de magasiner, sans qu'elle ait nécessairement quelque chose de précis à acheter. Elle sait que son radar lui fera découvrir de superbes aubaines.

L'homme sain comprend que sa femme n'a pas besoin de raisons pour agir, qu'elle n'est pas toujours, comme lui, orientée vers un résultat, qu'elle peut partager ses pensées pour le seul plaisir de les partager et d'être en relation d'intimité avec son interlocuteur, qu'elle est dans l'échange et non dans l'argumentation, laquelle est si stimulante pour les hommes.

La pensée de la femme est donc non séquentielle, d'où sa grande flexibilité, et intuitive, d'où sa capacité de pressentir les sentiments des autres ou les événements à venir. De plus, cette pensée fonctionne selon des règles variables, ce qui signifie qu'elle peut être d'une logique implacable et à l'épreuve de toute argumentation, mais aussi être très spontanée et imprévisible.

La communication au féminin

J'ai énoncé ci-dessus que, lors de ma formation en psychologie, j'avais appris que la communication pouvait régler tous les conflits conjugaux. D'ailleurs, la thérapie conjugale classique est basée sur la résolution de conflits à partir d'une communication dite efficace, laquelle a été élaborée par l'analyse transactionnelle d'Eric Berne. Aujourd'hui, on parle plutôt, à l'instar de Rosenberg aux États-Unis, de communication non violente (ou CNV). D'après ces auteurs, la communication permet de mieux se comprendre, de mieux se connaître et ainsi de mieux s'aimer: elle serait donc la clé du bonheur et particulièrement la clé du bonheur conjugal. Mon expérience personnelle et mon expertise professionnelle m'amènent parfois à penser que ceux qui possèdent bien les outils de cette communication efficace et non violente sont ceux qui réussissent le mieux à faire passer leur point de vue, pour ne pas dire à l'*imposer*.

Bernard Werber écrit dans sa *Nouvelle encyclopédie du savoir relatif et absolu* :

> Entre ce que je pense
> Ce que je veux dire
> Ce que je crois dire
> Ce que je dis
> Ce que vous avez envie d'entendre
> Ce que vous croyez entendre
> Ce que vous entendez
> Ce que vous avez envie de comprendre
> Ce que vous croyez comprendre
> Ce que vous comprenez
> Il y a dix possibilités qu'on ait
> des difficultés à communiquer.
> Mais essayons quand même...

Essayons quand même, mais cessons de croire que la communication possède la toute-puissance de compréhension mutuelle que plusieurs voudraient lui attribuer. On ne peut pas ne pas communiquer – même le silence signifie quelque chose –, mais l'homme qui se veut heureux en amour doit comprendre que les femmes ne communiquent pas de la même manière, dans le même contexte et pour les mêmes objectifs que lui. Écoutez les femmes discourir entre elles, et vous remarquerez que le contenu, le ton employé et le vocabulaire diffèrent du discours masculin.

Les problèmes de communication sont l'un des motifs de consultation les plus souvent invoqués par les couples en difficulté. En fait, la majorité d'entre eux ne présentent aucun problème de communication ; ils sont plutôt aux prises avec un problème de consensus. Et pourquoi n'y arrivent-ils pas ? Parce que, selon Gottman et son équipe de chercheurs[39],

---

39. Gottman, John et Silver, Nan, *Les couples heureux ont leurs secrets*, 2006.

69 % des problèmes conjugaux sont insolubles. Chercher à résoudre des conflits insolubles ne fait alors que polariser ces conflits et, à la longue, entraîne le couple vers le fond plutôt que de l'amener à une véritable communion des corps et des âmes. La résolution de conflits par la communication donne généralement de bons résultats à court terme, mais elle est insuffisante pour assurer l'harmonie conjugale à long terme ou pour sauver un couple au bord du précipice. Les membres des couples heureux utilisent la communication pour la gestion, et non la résolution, des conflits. Et ils savent que l'on peut être heureux, même si l'on n'est pas d'accord sur tout.

Mon expertise de près de quarante ans d'écoute des couples m'amène à la conclusion que les couples n'ont aucun problème de communication. Toutefois, ils auraient trois problèmes reliés à la communication, dont celui déjà cité, un problème de consensus. Si, après discussion, on se rend compte que l'on n'est pas d'accord, on ne peut certainement pas s'accuser de mauvaise communication ; c'est plutôt le contraire, chacun ayant été transparent et vrai. Le deuxième problème serait relié au contenu de la communication. Pour moi, ce n'est pas le *tu* qui *tue* la communication, mais plutôt ce qui vient après ce *tu* : un reproche, une critique ou un compliment. L'observation des couples heureux nous démontre qu'ils utilisent le *tu*, mais qu'ils se disent de cinq à dix fois plus de compliments que de reproches, à l'inverse des couples dysfonctionnels qui font beaucoup plus de retraits de leur banque d'amour que de dépôts. L'interprétation des mots constitue le troisième problème relié à la communication : le «Je t'aime» d'un homme ne veut pas tout à fait dire la même chose que le «Je t'aime» d'une femme.

Hommes et femmes ne parlent pas tout à fait la même langue ; ils n'accordent pas non plus aux mots et aux intonations la même valeur et, surtout, leurs tentatives de communication n'ont pas la même motivation puisque leurs priorités de vie ne se présentent pas dans le même ordre. La femme communique surtout pour le plaisir de le faire, pour entretenir la relation, pour créer une intimité et non seulement pour obtenir ou transmettre une information. Parler pour parler, surtout de la qualité de la relation, est une activité plutôt féminine que beaucoup d'hommes exècrent. Oui, les femmes peuvent *parler dans le dos* des autres, mais elles parlent plutôt *au sujet* des autres afin de créer de l'intimité et des alliances.

Messieurs, tendez l'oreille lors des prochaines conversations téléphoniques de votre partenaire : si vous écoutez vraiment, vous constaterez ce qui suit.

- Les femmes s'échangent de l'information subjective : elles disent ce qu'elles pensent ou ressentent concernant les événements ou les personnes qui les entourent ; elles ne se limitent pas à la description de faits concrets.

- Tout est prétexte à l'échange et, chaque fois, elles en profitent pour faire le tour de tout ce qui s'est passé depuis leur dernière conversation.

- Elles communiquent sur des thèmes intimes : enfants, amour, sexualité, émotions (négatives et positives), récriminations, problèmes de santé, vécu des autres.

- Leurs conversations se font sur le mode «Moi aussi…» : «Moi aussi, j'ai déjà vécu ça !», «Je suis d'accord avec toi», «Il est arrivé la même chose à…».

- Elles passent facilement d'un sujet à l'autre et abordent plus d'un sujet : rares sont les silences lors d'une conversation entre femmes.

- Elles parlent souvent en même temps, généralement pour rajouter ou confirmer ce que vient de dire leur interlocutrice.

- À l'intonation, vous pouvez deviner que la personne à l'autre bout du téléphone est en train de parler d'un sujet comique ou dramatique.

- Elles se réconfortent l'une l'autre.

- Ce sont rarement elles qui, lors de rencontres sociales, commencent à raconter des blagues.

- Leur objectif est d'entretenir et d'approfondir leurs relations avec leurs parents, leurs amis ou leur partenaire, et elles ont beaucoup de plaisir et de satisfaction à le faire.

L'homme aurait avantage à mettre en pratique les dix règles de communication suivantes, règles qui tiennent compte de la nature féminine et qui créent un climat de confiance facilitant son ouverture et minimisant ses réactions d'insécurité ataviques (peur d'être rejetée, de ne pas être aimée, de ne pas être prise en compte, de ne pas être importante...).

- Cessez de vous sentir attaqué lorsqu'elle vous dit : «Chéri, parle-moi» ou «Il faudrait qu'on se parle». Tout ce qu'elle veut, c'est entrer en contact avec vous, même si vous avez l'impression qu'elle vous critique.

- Ne lui donnez pas de solutions. Sa solution à elle, c'est de vous parler de ce qu'elle vit, de ce qu'elle ressent et de ce qu'elle veut, c'est d'être écoutée et, si possible, comprise. Si elle se sent entendue et comprise, elle devient reconnaissante.

- Apprivoisez vos émotions en acceptant d'en parler avec elle. Contrairement à vous, elle a apprivoisé ses émotions depuis des millénaires... en en parlant, en les comparant, en les confrontant, en demandant aux autres ce qu'ils en pensaient. Être émotif n'est pas synonyme de faiblesse pour elle, mais une preuve que vous êtes en contact avec votre monde intérieur.

- Cessez de la sous-estimer. Arrêtez de croire qu'elle est incapable de prendre soin d'elle ; elle n'a pas besoin d'un sauveur, mais d'un interlocuteur, de quelqu'un qui peut lui offrir de la compassion, pas des solutions.

- Osez vous exprimer. Les femmes préfèrent entendre des propos qui risquent de leur déplaire plutôt que le silence. N'écoutez surtout pas le conseil de Patrick Huard[40], car, pour la femme, le silence est la pire violence psychologique qu'on puisse lui faire.

- Regardez-la quand elle parle : les yeux sont le miroir de l'âme (mode spirituel) et elle fait tout pour attirer votre attention.

**La femme dramatise
le silence et le vide.**

---

40. Patrick Huard est un humoriste québécois dont l'un des monologues s'intitule *Ferme ta gueule* : http://www.youtube.com/watch?v = nUkHn4V_iAY.

- Demandez-lui ce qu'elle en pense... avant de passer à l'action. Je me rappellerai toujours le client qui, croyant faire une belle surprise à sa femme en achetant à son insu un chalet au bord d'un lac, fut étonné de la voir atterrée : pour elle, ce chalet représentait une deuxième maison à entretenir alors qu'elle aurait préféré visiter un nouvel endroit à chaque période de vacances.

- Soyez diplomate. Les femmes écrivent entre les lignes et passent par la bande pour ménager la susceptibilité de leurs interlocuteurs, ce que ne font pas les hommes qui expriment directement ce qu'ils ont à dire, au risque de déplaire. Essayez de « deviner » ce qu'elle essaie de vous dire. Soyez subtil !

- Pratiquez l'écoute active[41]. Recevoir les commentaires de votre partenaire en faisant « oui » de la tête ne signifie pas que vous approuvez ses dires, mais que vous les entendez, à défaut de les comprendre. Pourquoi croyez-vous que tant de femmes consultent des psychologues ?

- Prenez l'entière responsabilité de *vos* émotions et de *vos* réactions, car celles-ci proviennent de *votre* interprétation de ses dires ou actions, et non de ses comportements. Lorsqu'elle arrive en retard, par exemple, vous pouvez certes être en colère, mais vous auriez aussi pu ressentir de la peur (a-t-elle eu un accident ?), de la tristesse (parce que vous vous sentiez seul) ou de la culpabilité (comment se fait-il qu'elle arrive de plus en plus souvent en retard ?). Vous auriez pu également être content parce que cela vous a permis de terminer l'écoute de votre partie de football. À vous de décider ce que vous voulez vivre comme type de relation amoureuse. Dites-lui plutôt que vous aviez hâte qu'elle arrive en lui tendant les bras.

Ces règles ou stratégies, à l'usage des hommes conscients de l'influence qu'ils ont sur leur partenaire, tiennent compte des caractéris-

---

41. Développée par Carl Rogers, l'écoute active consiste à mettre en mots les émotions et sentiments exprimés de manière tacite ou implicite par l'interlocuteur. L'écoute active est aussi appelée écoute bienveillante.

tiques de la féminité et du fonctionnement féminin. Lorsqu'il y a des problèmes de communication, il faut les voir comme un symptôme et non comme la cause des conflits conjugaux. Le problème ne réside pas dans la communication comme telle, mais plutôt dans l'ignorance des codes sexués de communication. C'est comme si l'homme et la femme n'appliquaient pas les mêmes règles du jeu. L'homme sain accepte non pas de réprimer ses valeurs intrinsèques, mais d'apprendre les règles du jeu de l'autre, lui permettant ainsi d'avoir plus de plaisir à jouer (communiquer) avec sa partenaire. C'est comme si l'un jouait aux échecs et l'autre aux dames, deux jeux qui se jouent sur un terrain semblable (le couple).

La vie émotive des femmes

Les neurologues ont découvert que l'hémisphère gauche (analytique) est plus développé chez les femmes et l'hémisphère droit (émotif), plus développé chez les hommes. Ces différences sont dues à l'effet des hormones sexuelles dans lesquelles le cerveau baigne dès les premières semaines de vie intra-utérine. Pourquoi alors croit-on que les hommes sont plus rationnels que les femmes? Tout simplement parce que le centre de la parole, situé dans l'hémisphère gauche, est moins accessible à cause de la faiblesse de son corps calleux et parce que ses neurones possèdent de 11 à 13 % moins de dendrites. De plus, certaines parties de l'hypothalamus, plus développées chez l'homme, sont axées vers l'action. L'homme «agit» donc ses émotions plus qu'il n'en parle.

À cause de la structure de son cerveau et de ses hormones, la femme vit de nombreux changements hormonaux. Ses œstrogènes sont à mettre en cause, quoique l'amplitude des changements ne soit pas aussi grande que dans le cas de la progestérone. La seule différence d'une femme à l'autre, c'est l'intensité des tempêtes hormonales. Aucun homme, une fois passée sa poussée de testostérone de la puberté, ne vivra autant de changements hormonaux qu'une femme. L'andropause existe, mais pas aussi intensément que la ménopause.

L'influence des hormones sur la vie émotive des femmes a été merveilleusement bien étudiée par la psychiatre et neurologue Louann Brizendine, fondatrice et directrice de la Women's Mood and Hormone Clinic (San Francisco, Californie), centre médical spécialisé dans la santé des femmes. Les résultats des recherches de son équipe ont été rapportés dans son livre *Les secrets du cerveau féminin*, publié chez Grasset en 2006. Voici un résumé des principaux secrets que tout homme qui veut vivre en paix avec une femme devrait connaître.

Enfance et adolescence

- Les filles naissent pour la contemplation mutuelle et sont davantage attirées par les visages plutôt que par les objets.

- Le développement du cerveau féminin devance de deux ans celui du cerveau masculin.

- Le cerveau des filles est programmé pour assurer l'harmonie et la paix sociale (les femelles bonobos illustrent très bien cette caractéristique).

- Toutes les adolescentes vivent un véritable psychodrame relationnel, lequel peut s'intensifier ou s'adoucir avec le temps.

- Sur le plan strictement biologique, le développement pubertaire a comme mission de rendre la jeune fille sexuellement désirable. C'est pourquoi elle se préoccupe tant de son apparence physique[42].

- Le cerveau féminin adolescent disjoncte régulièrement, d'où les nombreuses crises pour des banalités.

Âge adulte

- Les hormones agissent si fortement sur le cerveau féminin qu'elles créent une réalité difficilement compréhensible pour les hommes.

- Le ratio des dépressions féminines est le double de celui des hommes.

- La réalité hormonale et neurologique d'une femme est beaucoup moins constante que celle d'un homme.

---

42. D'où le phénomène d'hypersexualisation que l'on rencontre de nos jours chez nombre d'adolescentes et qui fait réagir tant les pères que les féministes.

- Des situations ordinaires de la vie, comme des factures impayées, peuvent être vécues par la femme comme un véritable stress et mettre leur vie en danger.

- Plus la femme-mère sera calme et sécurisée, mieux se porteront ses enfants.

- L'ocytocine, que les femmes sécrètent en quantité industrielle, est une neurohormone qui déclenche l'intimité et dont la production est stimulée par toute relation d'intimité (amicale, maternelle, amoureuse, sexuelle). On la surnomme l'hormone de l'attachement[43].

- Le cycle menstruel passe par plusieurs phases dont la dernière, les règles, décharge les tensions du syndrome prémenstruel et ravive plusieurs parties du cerveau.

- «Soigner ou copiner» serait l'équivalent féminin de la réaction atavique masculine «fuite ou combat».

- «Les femmes sont moins intéressées par le physique séduisant d'un mari potentiel que par ses ressources matérielles et son statut social[44].»

- Les femmes ont confiance aux hommes qui leur prodiguent plus de caresses, car cela stimule leur production d'ocytocine et de dopamine (hormone du plaisir).

- Le cortisol, ou hormone du stress, bloque la production d'ocytocine et tout désir de contact physique et sexuel. D'où le besoin de la femme d'exprimer toute préoccupation et d'être écoutée avant de redevenir désirante et sexuellement réceptive.

- La communication verbale à couleur émotive compte pour la femme autant que le sexe pour l'homme.

- L'angoisse est quatre fois plus fréquente chez les femmes. Il en va de même pour les phobies.

---

43. L'homme en sécrète aussi, surtout lorsqu'il est repu sexuellement.
44. Brizendine, D^{re} Louann, *Les secrets du cerveau féminin*, p. 113.

Maternité

- La maternité transforme complètement le corps *et* le cerveau de la femme. L'afflux important de progestérone modifie son cerveau de façon structurelle et fonctionnelle. Toute nouvelle mère, antérieurement femme de carrière, pourra vous l'expliquer.

- L'odeur d'un bébé déclenche la production d'ocytocine et limite celle du cortisol. Ce qui expliquerait le calme apparent des mères bien dans leur peau.

- Les mères peuvent reconnaître leur bébé à leur odeur.

- Les phéromones produites par la femme enceinte peuvent stimuler le syndrome de la couvade[45] chez le père.

Ménopause et post-ménopause

- La femme ménopausée pense davantage à elle-même. Elle devient de plus en plus «égoïste saine» et apprécie davantage sa liberté et sa solitude.

- La production d'ocytocine est mise en veilleuse pendant et après la ménopause.

- À 60 ans, le taux de testostérone, hormone du désir sexuel, a chuté de 60 % par rapport à celui de la femme de 20 ans. Par contre, la prescription de testostérone à faible dose ravive son désir masturbatoire et accélère sa réaction orgasmique.

- L'esprit de conciliation diminue chez la femme ménopausée, tandis qu'augmente sa capacité d'argumentation. D'empathique, elle devient plus irritable et colérique.

- Les femmes qui ne sont pas heureuses dans leur couple vivent une ménopause plus difficile.

---

45. Pour en savoir davantage sur les différents aspects du syndrome de la couvade, consultez les sites suivants : http://www.planet.vertbaudet.com/la-couvade-du-papa-cherie-je-crois-que-j-ai-pris-un-peu-de-poids.htm, https://www.babycenter.fr/a6000001/le-syndrome-de-la--couvade.#ethttp://www.parents.fr/grossesse/psycho-sexo/la-couvade-cest-quoi-78362.

- À la ménopause, les femmes ont un risque de dépression quatorze fois plus élevé que la normale, et cette dépression peut survenir abruptement, sans raison externe.

- La diminution ou l'arrêt de production de certaines hormones rend la femme ménopausée beaucoup moins émotive et impulsive : elle devient de plus en plus rationnelle.

- Certaines femmes ménopausées «choisissent» de devenir une grand-mère protectrice.

Il est évident que la biologie féminine influence considérablement sa réalité, mais la femme peut tout de même apprendre non pas à s'en libérer, mais à mieux en gérer l'importance. Surtout si elle vit avec un compagnon bienveillant, patient et compréhensif et qu'elle est consciente des effets de sa biologie sur sa personnalité et son comportement. N'oublions pas que le cerveau (le cortex) est malléable. En comprenant mieux sa biologie, elle peut mieux la gérer, sinon la maîtriser, et mieux expliquer à son partenaire ce qui se passe en elle.

> «Qu'as-tu fait de ma femme ?» dit un mari à sa femme ménopausée.
>
> Dʳᵉ LOUANN BRIZENDINE

Que peut faire l'homme dans toute cette histoire dont il ne connaît ni les tenants ni les aboutissants ? Beaucoup, aussi bien comme père, partenaire, ami ou collègue. Il peut confirmer sa petite fille et son adolescente dans sa féminité naissante en agissant de façon plus appropriée à sa nature. Il peut être le complice et l'interlocuteur dont sa partenaire a besoin. Il peut accepter de partager son amante avec ses enfants et être près de ceux-ci. Il peut accepter que, tout comme lui, sa femme vieillisse. Finalement, il peut faciliter l'intégration des femmes sur le marché du travail.

Les femmes d'aujourd'hui sont beaucoup plus autonomes financièrement. Elles se réalisent professionnellement et deviennent mères plus tardivement. L'homme heureux est celui qui aidera sa partenaire à concilier les multiples dimensions de sa vie de femme en ne l'obligeant pas à choisir entre sa vie professionnelle et sa vie familiale, mais qui respectera son choix, choix qui ne peut qu'évoluer dans le temps. L'homme qui vit avec une femme vivra littéralement avec plusieurs femmes ; le mieux qu'il puisse faire est de s'adapter aux nombreuses femmes qu'il découvrira avec le temps. La femme d'aujourd'hui n'a plus besoin du guerrier-pourvoyeur du temps des cavernes, même si son câblage cérébral n'a pas tellement évolué depuis des millénaires. Elle a maintenant besoin d'un compagnon, d'un complice. L'égalité des hommes et des femmes ne passe pas par la disparition des différences sexuelles, mais par une meilleure compréhension et exploitation de celles-ci. Le couple d'aujourd'hui et de demain est à l'aube d'une véritable révolution conjugale qui aura, ou a déjà eu, des répercussions importantes sur le plan social.

> Si la femme n'avait pas existé, l'homme vivrait encore à l'âge des cavernes.
>
> ORSON WELLES

Le travail

À cause des deux guerres mondiales et grâce à la découverte de la pilule, laquelle a facilité la contraception et mené à la première révolution sexuelle (la seconde a commencé avec la découverte du Viagra®), les femmes ont envahi le marché du travail et ont voulu changer les règles du jeu pour mieux y trouver leur compte. Avec raison. Ce qui n'est pas sans susciter quelques réactions allergiques de la part des hommes qui détestent changer les règles d'un jeu lorsqu'elles ont fait leurs preuves. Résistance, oui ; complot pour empêcher les femmes d'accéder aux postes de commande ou aux postes les plus rémunérateurs, il y a là une perception que je ne partage pas.

Quelqu'un a dit un jour : « Lorsqu'une femme demande l'égalité à un homme, elle s'attend à ce que celui-ci se comporte envers elle comme une autre femme le ferait. Le problème, c'est que lorsqu'un homme agit de façon égalitaire avec une femme, il se comporte envers elle comme il se comporte envers les autres hommes : prouve-moi que tu es le (la) meilleur(e) et tu auras le poste. Autrement dit, fais tes preuves et démontre-moi les avantages d'appliquer tes règles du jeu plutôt que les miennes. » L'hypothèse du plafond de verre (*ceiling glass*) est, pour moi, une interprétation paranoïde des relations homme-femme au travail.

Encore faudrait-il que les hommes connaissent les règles du jeu des femmes. Je me demande souvent si les femmes les connaissent aussi, ces règles, lorsque j'entends plusieurs dire, en thérapie ou dans ma vie quotidienne, qu'elles préfèrent travailler sous les ordres d'un homme, qu'elles ont beaucoup de conflits au travail avec leurs consœurs, qu'elles sont critiquées par d'autres femmes parce qu'elles ont eu une promotion, qu'elles sont rarement encouragées par les femmes en poste de commande, qu'elles se nuisent plus qu'elles ne s'entraident, qu'elles sapent leur autorité et que certaines quittent leur emploi pour ne plus vivre dans une telle atmosphère. Pour moi, ces comportements sont l'indice de femmes malsaines : elles prennent les autres femmes pour cibles au lieu de se prendre en main. C'est ce qu'on appelle du dénigrement, soit une relation plutôt négative envers une collègue de travail.

D'après Pat Heim et Susan Murphy[46], consultantes en management, ce dénigrement se reconnaît aux cinq comportements suivants :

- colporter des commérages ;
- répandre des rumeurs et divulguer des secrets ;
- faire des commentaires insultants ou des insinuations en public ;
- commettre des actes de sabotage ;
- snober quelqu'un délibérément et lui retirer son amitié.

De tels comportements de dénigrement ne se retrouvent pas chez les femmes saines. On ne parlait peut-être pas de conciliation travail-famille avant l'arrivée des femmes sur le marché du travail, mais on ne parlait pas non plus de harcèlement moral. C'est probablement la mauvaise foi des collègues de travail entre elles, plus que l'existence d'un « plafond de verre », qui est la principale raison de la non-accession des femmes à des hauts postes de responsabilité.

Les pires choses qui ont été écrites sur moi l'ont été par des femmes.

Barbra Streisand

---

46. Leur livre, *La femme est un loup pour la femme* (Éditions Payot, 2004), est le résultat de leurs réflexions et de leur travail auprès d'une centaine d'entreprises qui cherchaient à minimiser les conflits femme-femme au travail.

Pourtant, les femmes valorisent au plus haut point la coopération et la collaboration, du moins les femmes saines. K. Collins[47] a démontré que les entreprises où régnait une saine amitié entre femmes stabilisaient leur personnel et augmentaient leur productivité du simple fait que les femmes y travaillant avaient un sentiment de réalisation professionnelle plus élevé. Imaginez ce que seraient ces entreprises et nos sociétés si, en plus, les hommes et les femmes travaillaient main dans la main.

Voici donc quelques caractéristiques féminines que les hommes et les employeurs auraient avantage à connaître.

- Pour être productives au travail, les femmes ont besoin d'établir des relations amicales avec leurs collègues. Elles cherchent à créer des liens horizontaux dont le but est la sécurité, l'alliance et l'harmonie, et non le pouvoir. Elles travaillent mieux et avec plus de plaisir dans un contexte égalitaire plutôt que dans une structure hiérarchique.

- Elles ont besoin de sentir qu'elles ont un certain pouvoir sur leur milieu de travail et que ce pouvoir est partagé entre tous et toutes. C'est ce que Heim et Murphy appellent la Règle, soit «la répartition strictement équilibrée du pouvoir»: aucune femme ne peut s'arroger le pouvoir de commander les autres femmes ou l'obtenir par une promotion, même justifiée.

Pour qui se prend-elle, celle-là? Elle n'est pas mieux que moi!

- Elles ont besoin d'être estimées, non seulement pour ce qu'elles font, mais pour elles-mêmes, ce qui augmente leur propre estime, leur productivité et leur sentiment d'appartenance au groupe.

- Par contre, elles ont de la difficulté à s'attribuer le succès qu'elles peuvent connaître. Elles minimisent leur participation lors de réussites et ont tendance, à l'inverse, à dramatiser leur rôle lors d'échecs.

---

47. Collins, K, «New Economy Friendship», *Working Woman*, 16 septembre 2000.

- Elles souffrent souvent du syndrome de l'imposteur : elles n'estiment pas mériter le pouvoir qu'elles ont acquis ainsi que les avantages afférents, contrairement aux hommes. Ce complexe peut les empêcher de développer leur plein potentiel.

- Chez les femmes de tout âge, il est plus important d'être populaires (d'être aimées) que de gagner. Ce qui les place dans une situation de double contrainte au travail : si une femme cherche à monter dans l'échelle hiérarchique, elle risque de ne pas être aimée parce qu'elle ne respecte pas la Règle ; si, au contraire, elle veut être aimée de toutes, elle risque de faire du surplace et de devenir invisible aux yeux de la direction.

- Les femmes n'ont pas appris à dépersonnaliser les combats. C'est pourquoi les conflits femme-femme sont souvent des conflits à vie, tout comme leurs amitiés.

- La qualité d'une équipe de travail est évaluée, dans le monde des femmes, par le nombre d'interrelations. Elles disent plus souvent « Nous » que « Moi ».

- Les femmes, en majorité, mettent l'accent sur les valeurs humaines plutôt que sur la froide logique des affaires.

- Rien ne résiste à un réseau de femmes qui ont tissé de solides liens d'entraide : elles peuvent non seulement changer la mentalité d'une entreprise, mais aussi changer le monde.

J'ai souvent écrit et dit que les femmes constituent le facteur de changement et d'évolution du couple et de la société, alors que les hommes constituent le facteur de consolidation. Devenir complice de la femme au travail ne veut pas dire s'y soumettre et renoncer à toute autorité hiérarchique. Les hommes doivent plutôt chercher à faire équipe avec elles en mettant l'accent tant sur la dimension relationnelle que sur la performance. Les chefs d'entreprises (aussi bien hommes que femmes) qui l'ont fait (en instaurant des garderies sur place, des salles d'entraînement physique, des moments de détente, en

> J'aime avoir du pouvoir. Le pouvoir de faire plus de bien.
>
> MARY LANDRIEU

organisant des activités sociales régulières…) ont non seulement vu leur chiffre d'affaires augmenter, mais aussi la satisfaction et, surtout, la stabilité de leur personnel. Le défi : agir de façon égalitaire dans une structure hiérarchique.

Le choix de l'homme heureux

L'homme se retrouve devant plusieurs choix s'il veut être heureux avec la femme qu'il aime et avec qui il veut réaliser ses projets de vie. Non seulement doit-il accepter que l'énergie féminine va de bas en haut et de l'extérieur vers l'intérieur, encore doit-il valoriser la sexualité de sa partenaire qui procède de la même façon, donc s'intéresser à elle plus qu'à ce qu'elle fait et comprendre qu'elle a besoin d'intensité. Il doit savoir que le cerveau de la femme peut faire plus d'une chose à la fois, qu'elle a une mémoire fantastique des détails et que, grâce à son intelligence, elle adore communiquer et revenir sur le passé, surtout sur les aspects émotifs et intimes de ce passé. L'écouter activement sécurise sa partenaire.

Il doit accepter qu'elle a peu évolué dans sa façon d'être, de faire et de réagir depuis l'âge des cavernes (lui non plus, d'ailleurs), sauf sur le plan de l'autonomie financière : elle n'a plus besoin d'un pourvoyeur-guerrier ; elle veut maintenant un complice qui l'accompagnera dans sa réalisation professionnelle, amoureuse, parentale et personnelle. Il doit cesser de réagir selon son atavisme «fuite ou combat», abaisser ses défenses et faire de sa femme sa meilleure amie s'il veut en être aimé en retour et obtenir la satisfaction de ses besoins légitimes.

Plutôt que d'essayer de la raisonner, il doit plutôt exploiter l'instinct nourricier et protecteur qui a permis à la femme, avec son aide, d'assurer la survie de l'humanité et l'amélioration des conditions de vie de l'être humain. Il doit considérer les aspects positifs de la féminité s'il ne veut pas qu'elle développe une féminité malsaine. Il doit apprendre à communiquer d'une façon plus spontanée avec elle pour «être présent» à elle et accepter que ses intuitions ou pressentiments puissent être d'une grande utilité et souvent plus conformes à la réalité qu'il ne le croit.

Pour transcender la guerre des sexes, l'homme doit admettre, tant au travail qu'à la maison, que l'être humain *femme* est différent. L'inverse est aussi vrai. En fait, les deux sexes doivent apprendre et respecter les règles du jeu de l'autre et, surtout, en tenir compte. Ce faisant, nous pourrions inventer un nouveau jeu, une nouvelle réalité relationnelle où tous les joueurs (individu, couple, famille et société) seraient gagnants.

Chapitre 4

Les renoncements nécessaires des hommes

La pensée populaire dit que l'homme n'obtient jamais ce qu'il espérait en épousant sa femme ou en cohabitant avec elle. Il croit que sa princesse ne changera jamais, qu'elle restera toujours aussi admirative, compréhensive et réceptive que lors de la période de séduction. Hélas ! La lune de miel ne peut que s'atténuer avec le temps et la princesse devenir de plus en plus exigeante. Ce que l'homme doit alors comprendre, c'est que le couple n'est pas à son seul service, mais qu'il existe aussi pour répondre aux besoins de sa partenaire.

Pourquoi tant de femmes quittent-elles leur partenaire ?

D'après de nombreuses études, ce sont les femmes qui demandent le divorce beaucoup plus souvent que les hommes. Comment se fait-il que plusieurs histoires d'amour commencées dans la passion et l'enthousiasme finissent par susciter tant de frustration et de haine ? La raison la plus souvent invoquée : le désenchantement. L'homme ne désirait pas ce qu'il a obtenu ; la femme n'a finalement jamais obtenu ce qu'elle désirait.

En général, voici comment, du point de vue de la femme, cela se passe pour les couples qui divorcent ou se résignent.

- Au début, l'homme se montre indépendant et sûr de lui.
- Il s'informe d'elle et de ce qu'elle fait, lui démontrant ainsi son intérêt.

- Il est attentif, charmant, empressé ; elle finit par croire qu'il est mieux que les autres qui ne s'intéressent qu'au sexe et qui la laissent tomber si elle ne répond pas rapidement à ses attentes.

- Il l'écoute attentivement, il lui donne l'impression qu'elle est l'« élue » et qu'il a enfin trouvé l'âme sœur ; il est celui qu'elle espérait dans ses rêves d'adolescente et qu'on lui présentait dans les contes de fées, les romans d'amour et, aujourd'hui, sur les sites Internet de rencontres.

- Elle est alors aveuglée, croyant qu'il l'aime pour elle-même et la veut pour ce qu'elle est réellement, et non pour ce qu'elle représente.

- Elle est assurée que ce qu'elle vit durera et même s'intensifiera avec le temps. Elle partage son enthousiasme avec ses copines qui la confortent dans ses attentes (illusions ?). Elles la trouvent même très chanceuse et espèrent que leur tour viendra.

- Elle rêve alors d'engagement (mariage, maison, famille...) et d'une vie remplie d'intensité ; du moins, c'est comme ça que les films hollywoodiens présentent l'avenir : le baiser d'amour de la fin est rempli de promesses.

- Ce n'est qu'une question de temps avant que celui-ci, croyant sa princesse acquise une fois pour toutes, se désintéresse d'elle en recommençant à sortir avec les copains, en s'investissant davantage dans son travail ou en faisant davantage d'activités seul plutôt qu'en couple.

- C'est alors qu'elle commence à exprimer quelques frustrations : il n'est plus réellement l'homme qu'elle s'était imaginé au début. Il la rassure en lui disant qu'il l'aime et le lui prouve en lui manifestant son désir.

- Comme elle semble de moins en moins réceptive sexuellement et de plus en plus critique, soit il se renfrogne et songe à refaire sa vie avec une autre, soit il lui dit que c'est elle qui a changé et qui complique les choses. Il ne comprend pas qu'elle ne soit pas heureuse maintenant qu'ils vivent ensemble, qu'ils ont un appartement ou une maison, qu'ils ont même des projets d'avenir : « Mais qu'est-ce que tu veux de plus ? »

- Finalement se creusent petit à petit une atmosphère d'incompréhension réciproque et une lutte malsaine pour le pouvoir, chacun cherchant à imposer à l'autre sa vision du couple et accusant l'autre de mauvaise foi ou de ne plus être en amour.

- Le couple s'installe tranquillement dans une routine qui lui déplaît; elle lui adresse des critiques de plus en plus acerbes. La fréquence des rapports sexuels diminue ainsi que leur intensité.

- Il semble s'y adapter mieux qu'elle, et comme elle finit par diminuer ses critiques (ou les limiter à ses «mauvais jours»), il croit qu'elle aussi s'adapte et accepte la situation, jusqu'au jour où elle lui annonce qu'elle le quitte.

- Tout surpris, il dit: «Je ne comprends pas! Ça ne va pas si mal que ça. Si tu n'étais pas contente, pourquoi tu ne m'en as pas parlé avant?» Ce à quoi elle répond: «Je t'en ai parlé régulièrement (tous les mois), mais tu ne comprenais rien à rien ou ne voulais pas vraiment m'écouter. Tu disais que tu allais faire attention, mais rien ne changeait. Il est trop tard maintenant.»

- Si l'homme survit au divorce[1] et arrive, à l'aide de la médiation, à une entente plus ou moins satisfaisante, il se met à espérer qu'avec une autre ce sera mieux. Mais une fois terminée la nouvelle lune de miel, il se retrouvera dans la même situation[2], tout simplement parce qu'il n'a pas compris les renoncements nécessaires à faire pour réussir ses histoires d'amour.

Ce sont les femmes qui envisagent la séparation, mais les hommes, la plupart du temps inconsciemment, font tout pour qu'elles en arrivent à prendre cette décision. Il n'y a pas de doute que les deux partenaires partagent une coresponsabilité dans cette dynamique «séduction-fusion-compétition-séparation». Mais si l'homme se retrouve, union après union,

---

1. La peine d'amour est la cause de presque deux suicides sur trois, et ce, à tous les âges de la vie d'un homme.

2. Selon certaines recherches, les probabilités d'un premier divorce vont de 45 % (lors d'un mariage) à 65 % (lors de cohabitation). Ces probabilités augmentent à 65-74 % lors d'une deuxième union et à plus de 75 % lors d'une troisième union. L'aspect positif: de 25 à 35 % réussissent leur deuxième ou troisième union.

avec une femme qui le quitte, c'est qu'il ne prend pas ou ne comprend pas sa responsabilité dans l'échec de son projet conjugal.

Il en va de même pour les divorces qui se retrouvent entre les mains des avocats spécialisés en droit familial et qui aboutissent devant un juge, lequel rendra jugement, mais cette décision ne sera pas nécessairement celle qu'attend l'homme. Je le répète, la femme a une responsabilité dans un mariage réussi ou dans un divorce qui tourne mal, mais l'homme aussi a sa part de responsabilité dans la réussite ou non du projet conjugal. En fait, les deux doivent comprendre que dans un couple, comme dans un divorce, il ne peut y avoir que deux gagnants ou deux perdants. Pour être gagnant, il faut accepter certains renoncements. Ceux et celles qui ne le comprennent pas font la fortune des intervenants conjugaux, des médiateurs, des avocats et autres professionnels de l'industrie du divorce.

Les deux choix des hommes

Devant la femme et sa réalité, l'homme a deux choix. Le premier, voué à l'échec, est celui où il ne tient pas compte des besoins et attentes légitimes de sa partenaire et où il croit que cette dernière doit correspondre à la femme qu'il a imaginée dans ses fantasmes adolescents et qu'on lui a présentée dans les magazines pour hommes, dans les films érotiques ou sur les sites Internet. Ce choix est voué à l'échec, car sa partenaire finira par penser que ce n'est pas elle qu'il aime, mais seulement son corps. Tôt ou tard, elle croira qu'il ne s'intéresse à elle que pour la sexualité et les différentes tâches ménagères qu'elle accomplit. Soit elle réagira en se soumettant (surtout s'il utilise la violence verbale ou, pire, la violence physique), soit elle critiquera de plus en plus et utilisera le refus de la sexualité pour lui faire payer le fait qu'il ne tient pas compte de ses attentes. Résultat : elle risque de succomber aux attentions que lui prodiguera un collègue de travail, un voisin ou le meilleur ami de son partenaire. De 15 à 25 % des femmes sont un jour infidèles, selon les données les plus conservatrices.

Le deuxième choix, beaucoup plus difficile, consiste à construire une relation basée sur la réalité de l'identité féminine. Toute femme (comme tout homme), sauf de rares exceptions, est un être de bonne volonté. Elle est prête à s'investir à fond pour que son couple fonctionne, mais il y a des choses qu'elle ne peut ni donner ni faire, non pas parce qu'elle ne le *veut* pas, mais tout simplement parce qu'elle ne le *peut* pas ou ne le *comprend* pas. Il y a des limites à ce qu'une femme peut être ou faire ; elle a aussi des obligations et des impératifs que sa nature l'oblige à respecter. Plus tôt l'homme acceptera ces limites, plus tôt il comprendra ce qu'est une femme, et meilleures seront ses chances de trouver une complice pour la vie. Sinon, il risque de se retrouver seul ou d'aller de relation en relation tant et aussi longtemps qu'il ne prendra pas conscience de sa responsabilité dans ses échecs amoureux.

L'homme qui veut aimer sa femme doit connaître les réalités féminines et prendre conscience de l'impact et du pouvoir qu'il possède sur l'expression, positive ou négative, de la féminité. Aimer une femme est relativement simple si la relation amoureuse s'enracine dans la réalité de ce qu'elle est plutôt que dans des attentes adolescentes, illusoires ou narcissiques. Loin de moi l'idée de faire dépendre le succès ou l'échec d'un couple sur les seules épaules des hommes. Mais ceux-ci ont une responsabilité et un pouvoir beaucoup plus importants qu'ils ne le croient.

Que peut faire un homme pour améliorer la dynamique conjugale et faire baisser la tension qui existe entre deux personnes qui veulent s'aimer et qui sont de bonne foi, mais dont les perceptions du couple diffèrent ? Beaucoup ! Mais pas nécessairement ce qu'il pense. Mettre l'accent sur les faiblesses, les manques, les défauts de sa partenaire ne provoquera que des réactions négatives. Pour réussir son couple, l'homme doit renoncer à certaines illusions et faire certaines concessions. Celles-ci, pas toujours faciles, sont au nombre de cinq :

1. Exister sur le plan subjectif ;
2. Laisser tomber la justification et la défensive ;
3. Cesser d'offrir des solutions ;
4. Entretenir la réalité féminine ;
5. Accepter la « mamante » qui existe en toute femme.

Exister sur le plan subjectif

Comme on le sait, la femme accorde la priorité à son mode émotif et spirituel plutôt qu'à son mode physique et rationnel. Cela peut paraître paradoxal puisqu'elle investit temps et argent sur son apparence physique et son esthétisme. Mais l'objectif, plus ou moins conscient, est d'être aimée de tous et ainsi trouver l'homme de sa vie pour se réaliser. L'*être* est pour elle plus important que le *faire*. C'est en étant présente aux autres qu'elle se réalise, tout en étant toujours prête à faire quelque chose pour les gens qu'elle aime et dont elle se sent aimée. C'est ainsi qu'elle exprime son amour : en créant les meilleures conditions de vie lui permettant de s'épanouir. Dès qu'elle devient mère, la famille, plus que le travail, devient sa priorité, ce qui ne veut pas dire qu'elle abandonne toute ambition professionnelle.

Qui dit subjectif dit aussi intimité et, pour la femme, l'intimité ne se résume pas à la sexualité. Nul doute que la femme aurait avantage à développer sa sexualité génitale, mais elle le fait généralement en vieillissant au fur et à mesure qu'elle accumule des expériences relationnelles intimes : c'est l'intimité des cœurs qui l'ouvre à l'intimité des corps. La plupart des hommes savent comment attirer une femme en lui parlant, en l'écoutant et en la complimentant. Casanova et Don Juan étaient passés maîtres dans l'art de séduire une femme par la parole. Sauf que si l'homme utilise l'intimité des cœurs pour ne satisfaire que ses besoins charnels et cesse de lui démontrer qu'il s'intéresse aussi à *elle*, qu'il ne se surprenne pas que sa vie sexuelle soit moins active car elle se sentira trahie, abusée, exploitée par un homme égoïste et obsédé par le sexe.

Il n'y a pas de doute, messieurs, que l'une de vos missions biologiques est la reproduction de l'espèce. Mais, à moins de vouloir vivre en solitaire toute votre vie comme la plupart des mâles des espèces animales qui se font éjecter, sinon sacrifier[3], après s'être accouplés avec la femelle, vous devrez vous investir dans l'entretien des conséquences de votre comportement sexuel. Auparavant, les femmes s'abandonnaient dans les bras d'un

---

3. Il n'y a pas que les mâles des mantes religieuses qui se font tuer pendant ou après l'acte sexuel. Avez-vous constaté, par exemple, que l'on ne voit des bourdons qu'au début de l'été ? Lire à ce sujet : Grandpré-Molière, Ariette, *Comme des bêtes*, France, Hors Collection, 2005.

homme seulement après une promesse d'engagement; les fréquentations duraient alors beaucoup plus longtemps. Aujourd'hui, les femmes acceptent de faire l'amour plus tôt dans la relation, non pas parce qu'elles le désirent vraiment, mais parce qu'elles craignent de ne pas trouver un compagnon si elles ne satisfont pas rapidement son intérêt sexuel[4]. Plusieurs femmes trentenaires m'ont confirmé ce fait en thérapie; elles ont pris conscience que même si elles acceptaient de faire l'amour rapidement avec leur amoureux potentiel, elles restaient célibataires et paniquaient à l'idée de le rester à vie. Quel paradoxe!

Tous les hommes savent très bien pourquoi ils ne s'engagent pas avec une femme qui se donne si facilement: ils pensent que c'est tout ce qu'elle veut, et accumulent ainsi les conquêtes. Mais de là à s'engager à long terme, il y a un pas que la majorité des hommes ne font pas, surtout les hommes sains. Sans revenir aux longues fréquentations du passé ou mettre en application les directives d'Ellen Fein et Sherrie Schneider[5], la femme saine attend beaucoup plus de lui qu'un partenaire sexuel. Et l'homme sain recherche aussi plus qu'une partenaire sexuelle; il cherche une partenaire de jeux, une femme valorisante, une femme qui lui fait totalement confiance et qui satisfait son besoin de quiétude. Pour obtenir tout cela, l'homme heureux devra rester ouvert au monde subjectif, intime et spirituel de la femme.

Au lieu de mettre fin à la discussion ou d'argumenter lorsque survient un conflit conjugal, l'homme sain prend une profonde inspiration (question de faire baisser son taux de vasopressine[6]) et accepte que sa femme puisse avoir une perception autre que la sienne. Au lieu de proposer de «faire l'amour pour régler le problème», il l'écoute jusqu'à la fin, même s'il craint, justement, qu'il n'y ait pas de fin. À force d'écouter, peut-être finira-t-il par mieux la comprendre et constater que la femme qui a pu

---

4. Cela constitue un véritable paradoxe. Le mouvement féministe visait à ce que l'on cesse de considérer la femme comme un objet sexuel, alors que les femmes ne se sont jamais autant comportées comme des objets sexuels; à preuve, certaines jeunes femmes se prennent pour des *porn stars*.

5. Fein, Ellen et Schneider, Sherrie, *Les Règles. Secrets pour capturer l'homme idéal, Comment attraper un mari en 35 leçons*, Paris, Albin Michel, 2007.

6. La vasopressine est l'hormone produite par le corps de l'homme en situation de stress.

exprimer ses états d'âme devient reconnaissante envers son interlocuteur. C'est en l'écoutant et en lui parlant qu'il a su la conquérir ; c'est en continuant de le faire qu'il empêchera sa princesse de se transformer en mégère. C'est Marguerite Duras qui a dit ceci : « Les femmes jouissent d'abord par les oreilles[7] », les oreilles que vous ouvrez pour écouter et les oreilles dans lesquelles vous déposez de beaux mots.

La première concession que doit faire l'homme qui veut être heureux avec une femme est d'accepter de vivre dans un univers davantage subjectif et variable, qu'il s'y sente à l'aise ou non. Il doit cesser de vouloir changer sa partenaire en l'incitant à entrer dans son univers linéaire. Il comprend que la femme a besoin de ce partage d'intimité par la communication verbale afin de préserver sa santé mentale. S'il existe tant de confusion sur ce que devrait être une vraie femme aujourd'hui, c'est peut-être parce qu'elle fait plus d'efforts pour s'adapter au monde masculin extérieur plutôt que de se fier à ses critères subjectifs et intuitifs. C'est ce que je reproche à un certain discours féministe qui a survalorisé les valeurs masculines aux dépens des valeurs et des activités féminines.

Laisser tomber la justification et la défensive

L'amygdale, un noyau du lobe temporal qui enregistre la peur et déclenche l'agression, ne fait pas la différence entre un danger réel et un danger virtuel. Dès qu'un homme se *sent* attaqué, son cerveau réagit comme si c'était une attaque réelle et déclenche dans son corps tous les signaux d'alerte : sécrétion de vasopressine et d'adrénaline, accélération du rythme cardiaque, contractions musculaires, augmentation de la tension artérielle. Il est en état d'alerte. Le tout, en moins de trois millièmes de seconde. Autrement dit, l'amygdale de l'homme, plus grande que celle de la femme, ne fait pas la différence entre un tigre réel et la « tigresse » qu'il perçoit chez sa partenaire. La femme n'est pas responsable de cette réponse d'alerte ; c'est la fausse interprétation de l'événement par l'amygdale qui déclenche l'alarme. L'homme se sent mal et se tend. « Il grimpe dans les ri-

---

7. https://www.quintonic.fr/groupes/paris/discussions/marguerite-duras-disait-tres-justement-les-femmes-jouissent-d-abord-par-les-oreilles

deaux», disent les Québécois, «grimpent dans les tours», disent les Européens. La réaction spontanée de l'amygdale peut toutefois être contre-carrée ou gérée par le cerveau humain (néocortex) à la condition que l'homme, prenant conscience de son malaise, se convainque que la «ti-gresse» perçue par son cerveau primitif est la femme qu'il aime et qui l'aime.

Joseph Ledoux[8] illustre ce fait en prenant l'exemple du serpent et du bâton. Imaginez que, lors d'une excursion, vous apercevez quelque chose qui pourrait être un serpent. Instantanément, votre amygdale enclenche les réactions corporelles de la peur. Quelques millièmes de seconde plus tard, votre cerveau, par l'intermédiaire du thalamus, envoie l'information à votre cortex visuel qui analyse plus en détail la chose en question. S'il s'avère que c'est un serpent, votre cerveau renforce votre état d'alerte : la réaction «fuite ou combat» se mobilise. Si votre cerveau vous dit que ce que vous avez initialement perçu comme un serpent n'est en fait qu'un bâton tordu, il freinera la réaction de l'amygdale, et les réactions corpo-relles de la peur pourront lentement s'atténuer. Pour votre survie et celle de l'espèce humaine, mieux vaut prendre un bâton pour un serpent que de percevoir le serpent trop tard.

Lors d'une dispute conjugale, l'homme devrait, à l'inverse, cesser de prendre des bâtons pour des serpents. Sa vie n'est pas en danger, même si sa partenaire le conteste ou le critique réellement. Toutefois, cela est plus facile à dire qu'à faire, car l'influence de l'amygdale sur le cortex, soit l'in-fluence de l'émotion sur la raison, est plus importante que l'influence du cortex sur l'amygdale, soit l'influence de la raison sur l'émotion. C'est pourquoi tant d'hommes (et de femmes) perdent leur contrôle émotionnel et adoptent des comportements qu'ils regrettent par la suite.

L'homme n'a de pouvoir sur sa partenaire que celui qu'elle veut bien lui accorder, mais il possède les pleins pouvoirs sur lui-même et peut donc apprendre à maîtriser ou à limiter ses réactions ataviques de défense. À lui de rester calme et de trouver une autre réaction que la fuite ou le combat. C'est ce que j'appelle l'intelligence émotionnelle conjugale. Plus il se mon-trera en «contrôle», plus sa réaction envers sa partenaire sera adaptée et

---

8. Ledoux, J., «Émotion, mémoire et cerveau», *Pour la science*, n° 202, p. 50-57.

plus sa relation avec elle ira en s'améliorant, puisqu'elle n'aura pas l'impression de se retrouver devant un être primitif.

S'il cherche à imposer son avis ou à justifier ses comportements, sa partenaire ne se sentira pas reçue et lui en voudra de ne pas l'écouter et de ne pas tenir compte d'elle. S'il réagit toujours par la défensive, elle n'osera plus être elle-même en sa présence. L'homme doit donc apprendre à lâcher prise et à accepter qu'elle puisse le contester ou le critiquer sans que cela mette sa vie en danger. Il n'a pas à prendre la responsabilité des réactions de sa partenaire. Sa femme n'est pas d'accord? Elle ne vit pas ou ne dit pas ce qu'il voudrait qu'elle vive ou dise? Et puis après? La lutte incessante pour savoir qui a raison ou qui a tort ne peut mener à long terme qu'à une hostilité croissante, à la haine réciproque et au divorce, divorce dont chacun accusera l'autre d'être le responsable. Dans les deux cas, l'un et l'autre sont perdants. L'important dans un couple n'est pas de savoir qui a raison ou qui a tort, mais d'être heureux.

Vous ne pourrez pas contrôler ou changer votre femme, mais vous pouvez apprendre à contrôler et à modifier vos réactions, surtout si celles-ci mènent trop souvent à des disputes conjugales. En acquérant plus de pouvoir sur vous-même, vous obtiendrez plus de pouvoir sur votre couple, car votre partenaire se sentira en sécurité. Vous auriez donc avantage à lui donner raison si tel est le cas ou à ne pas argumenter, même si cela demande un certain effort.

Si vous êtes en retard, reconnaissez-le et excusez-vous au lieu d'essayer de vous justifier. Si elle vous reproche de passer trop de temps devant la télé ou l'ordi, c'est qu'elle vous veut près d'elle. Si vous avez oublié de rincer la vaisselle avant de la mettre dans le lave-vaisselle, vous avez oublié de la rincer, point. Elle vous reproche de ne jamais lui dire que vous l'aimez? Profitez-en pour reconnaître que c'est vrai et ajoutez «Je t'aime». Vous avez oublié d'acheter ce qu'elle vous a demandé pour préparer le repas? Allez-y immédiatement ou invitez-la au resto. Si vous vous êtes emporté devant les enfants, dites-leur ceci: «Papa a parlé fort, mais je vous aime quand même» et prenez-les dans vos bras. Vous justifier, vous défendre ou contre-attaquer ne fera que mettre de l'huile sur le feu et déclenchera une escalade, et vous passerez un mauvais moment.

La deuxième concession, ou renonce-ment, que l'homme doit faire pour être heu-reux est donc d'accepter de ne pas être parfait et d'admettre ses erreurs: il n'en sera que plus humain aux yeux de sa partenaire. Si vous vous permettez, messieurs, d'être un hu-main erratique et perfectible, vous accepterez plus facilement qu'elle le soit elle aussi. Vous pourrez alors vous entraider à devenir meilleurs, ce qui est là l'un des objectifs des couples heureux.

> L'erreur n'est pas de faire des erreurs, mais de les répéter.
>
> JOSEPH JOUBERT

Cesser d'offrir des solutions

Lorsque l'homme vit une émotion, celle-ci est perçue comme signe d'un problème ou d'un danger (le serpent), à moins que cette émotion ne soit agréable comme la joie, le bonheur, l'enthousiasme (parce que son équipe a gagné ou parce qu'il vient de faire l'amour avec sa partenaire). Si tel est le cas, il n'hésitera pas à l'exprimer. Par contre, si cette émotion tourne autour de la peur, de la colère, de la tristesse ou de la culpabilité, il en cher-chera la cause et lorsqu'il l'aura trouvée, il s'organisera pour la faire dispa-raître, faisant ainsi disparaître le problème et l'émotion conséquente. Il pourra alors retrouver la paix de son esprit et ne penser à *rien*[9].

Lorsque sa partenaire lui présente un problème quelconque ou qu'elle vit une émotion, il applique la même logique. Si l'émotion est positive, il l'accueillera. Si elle est négative, il aura l'impression qu'elle lui demande de l'aider à trouver une solution pour faire disparaître le problème et, en conséquence, l'émotion. Son désir le plus fort est de vivre en paix dans le nid familial. C'est pourquoi, souvent, il montre une certaine résistance lorsqu'elle veut lui «parler».

Sauf que... la femme peut très bien s'occuper elle-même et trouver les solutions à son problème. Son objectif n'est pas de «charger» son par-tenaire d'une mission, mais de partager son vécu avec lui. Ce qu'elle veut, c'est lui raconter les multiples péripéties de sa journée, y compris celles qui ont pu l'embêter. Ce faisant, elle se débarrasse de la charge

---

9. Pour vous en convaincre, écoutez le sketch de Mark Gungor: http://www.daily-motion.com/video/x8jni9.

émotionnelle associée à cet embêtement et cela la soulage. Lorsqu'elle raconte à son partenaire qu'une compagne de travail l'énerve au plus haut point, elle veut être entendue et recevoir de la compassion. Si son partenaire lui dit : « Mais tu n'as qu'à l'éviter », il risque de se faire répondre, à sa grande surprise : « Tu ne comprends rien. De toute façon, tu ne comprends jamais rien. » Et là, c'est vrai, il ne comprend pas qu'en voulant se montrer utile il se fait rabrouer.

Il ne comprend pas que, pour sa partenaire, parler de son vécu, de ses émotions ou de ses préoccupations est *la* solution. Pour elle, parler soulage ; être entendue la réconforte ; et si elle se sent comprise, elle devient reconnaissante et plus aimante. En général, l'homme déteste revenir sur le passé : gagnée ou perdue, la partie est terminée, et il prépare la suivante. Pour la femme, revenir sur le passé lui permet de mieux s'expliquer ce qui est arrivé, de mieux comprendre son partenaire et de mieux vivre le présent. Elle se sent libérée lorsqu'elle a pu analyser tous les aspects de la situation passée, embêtante ou non, et cesse d'y revenir.

L'homme doit donc apprendre à écouter plutôt qu'à proposer des solutions, et partager lui aussi son vécu, ses émotions et ses préoccupations, créant ainsi une intimité fort appréciée de sa partenaire. Il doit comprendre que les besoins relationnels de sa partenaire sont beaucoup plus grands que les siens. La femme voudrait sentir de la part de son partenaire le même désir spontané de rapprochement et de communication verbale à couleur émotive, au même titre que l'homme voudrait se sentir désiré sexuellement avec la même intensité qu'il la désire. Ce sont deux formes de communication, verbale et non verbale, complémentaires. Accepter de ne pas être reçu dans son offre de solutions ou ne pas en offrir permet de diminuer les tensions et d'améliorer la qualité de la vie conjugale.

Entretenir la réalité féminine

Pour comprendre la réalité féminine, reprenons l'analogie de la mer. Asseyez-vous sur une plage et observez le mouvement de la mer. Vous verrez qu'elle bouge continuellement et qu'il existe plusieurs formes de vagues. Les plus visibles sont celles qui, lorsqu'elles cassent, produisent de l'écume blanche. Si vous regardez chacune d'elles, vous y découvrirez de multiples vaguelettes. Finalement, si vous restez longtemps assis au même endroit, vous comprendrez la marée. La mer est parfois très calme (mer d'huile) et, à d'autres moments, houleuse, agitée, déchaînée, démontée. Des tempêtes, des ouragans, des tsunamis y prennent naissance. Autant elle est la source originelle de toute vie, autant elle peut être destructrice.

Ainsi va la mer, ainsi va la femme. De toutes les caractéristiques observables de la féminité, la variabilité est probablement la plus évidente. La femme que vous aimez vous en fera voir de toutes les couleurs, belles et moins belles : la séductrice, l'amante, la passionnée, la généreuse, la nourricière, l'aidante, l'enveloppante, la consolatrice, et j'en passe ; mais aussi la contrôlante, la mégère, l'explosive, la dépressive, la phobique, l'hystérique, la manipulatrice, et j'en passe.

Rien n'est plus stupéfiant pour un homme que de voir sa partenaire en perpétuel changement, lui si linéaire en général. De séductrice, elle se transforme en organisatrice dès qu'il dit : « Oui, je le veux. » Tous les mois, il passe par deux semaines de beau temps, puis la tension monte, surviennent quelques jours de tempête, et enfin un relâchement total. À chaque grossesse, il voit son amante se transformer en mère et il perd l'exclusivité de celle-ci à tout jamais. Puis, les enfants grandissent, et apparaît une période de calme rapidement perturbée par la ménopause qui, encore une fois, provoque son lot de tempêtes. Finalement, toutes les tempêtes cessent et l'homme découvre une nouvelle femme, saine s'il a su l'aimer, l'accompagner et être l'élément stable et le port d'attache dont elle avait besoin, ou malsaine s'il n'a été qu'un colocataire ou s'il s'est réfugié dans son mutisme ou sa caverne.

> En réalité, l'homme ne vit pas avec *sa* femme, il vit avec *ses* femmes.

Que vous le vouliez ou non, messieurs, votre capacité d'adaptation sera mise à dure épreuve tout au long de votre vie avec votre femme. Vous devez donc renoncer à votre illusion de la princesse toujours charmante, stable, réceptive, sexy et à votre service. La femme a des humeurs que l'humeur de l'homme ne connaît pas. Le rôle de l'homme en tant que mâle de l'espèce humaine est d'être au service de la femme qui, après avoir reçu son sperme, crée, développe et entretient la vie dans son corps, avec ses seins et avec ses soins[10]. Accepter de remplir votre mission biologique d'accompagnement du mieux que vous le pouvez permettra d'atténuer les vagues de votre partenaire. Vous pourrez ainsi mieux profiter de votre périple en mer avec elle.

Si vous réagissez de façon linéaire, pour ne pas dire rigide, à ce qui vous apparaît être des réactions émotives puériles, si vous essayez de la raisonner au lieu d'accepter sa variabilité, vous serez vite éjecté, sinon de sa vie, du moins de son lit. Si, par contre, vous restez vous-même, tout en acceptant qu'elle vive des hauts et des bas, vous augmenterez les probabilités d'être heureux avec elle. On ne peut contrôler la mer, mais on peut en profiter. Ne cherchez pas à changer votre femme ; apprenez plutôt comment elle fonctionne différemment de vous et, en agissant autrement que vous, comment elle vous complète. Apprenez à l'aimer telle qu'elle est et telle que vous la découvrez, et non comme vous l'avez imaginée lors de votre adolescence ou dans les premiers temps de votre relation.

Accepter la «mamante» qui existe en toute femme

L'homme doit s'opposer à la femme pour devenir homme, puisqu'un homme est tout ce que n'est pas une femme. Et la première opposition qu'il vit, c'est l'opposition à sa mère, avec ou sans l'aide de son père. On sait aujourd'hui qu'un petit garçon qui a eu «trop de mère» et «pas assez de père» pour confirmer son identité mâle pourra plus difficilement s'engager avec une femme parce que cet engagement pourrait signifier la perte de son identité. Certains intervenants parlent même d'inceste émotif. De même qu'une petite fille victime d'inceste aura plus de la difficulté à s'épanouir sexuellement, ainsi en va-t-il du petit garçon qui, étouffé par une mère trop présente, aura de la difficulté à être ouvert au monde émotif et subjectif de sa partenaire. Cela explique en partie l'attitude défensive de l'homme envers la femme qui, avec amour, lui donne des conseils non sollicités.

Les petits garçons, plus que les petites filles, veulent faire les choses par eux-mêmes. Leur nature de mâle les pousse à s'activer, à aller au bout de leurs limites, à ne pas respecter les interdits, à être intrusifs. S'ils vivent

---

10. Remarquez-vous le peu de différences qu'il y a entre seins et soins?

dans un milieu éducatif familial et scolaire exclusivement ou prioritairement féminin, cette nature risque fort d'être contrecarrée. On leur dira de se tenir tranquilles, de ne pas faire tant de bruit, d'être gentils, d'écouter leur maman... Même fait de bonne foi, tout cela risque de «castrer» les petits garçons et de créer des hommes qui auront peur des femmes, peur de s'engager, toujours en train de leur résister et de refuser tout ce qu'elles aimeraient leur apporter.

Qu'il le veuille ou non, l'homme qui veut être heureux avec la femme de sa vie devra apprivoiser ce côté «maman». L'hérédité foncièrement féminine est nourricière. Elle ne cherche pas à le contrôler ou à le dominer, elle exprime sa nature profonde. Toute amante qu'elle soit, elle voudra aider son partenaire; elle ira au-devant de lui, c'est plus fort que sa volonté. «Quand est-ce que je vais apprendre?» dit parfois ma partenaire (avec qui je vis depuis 1982) lorsqu'elle s'occupe de moi sans que je lui aie demandé quoi que ce soit et que je bougonne quelque peu. Et moi de répondre: «Tu es ma mamante[11] préférée», avec un petit clin d'œil, plutôt que de m'adresser à elle sur un ton agressif: «Arrête de me dire quoi faire, tu n'es pas ma mère!»

L'homme doit donc considérer comme une preuve d'amour ce qu'il trouve souvent agaçant, par exemple lorsqu'elle:

- lui donne des conseils non sollicités;
- lui dit de faire attention à lui;
- lui dit comment s'occuper des enfants;
- lui demande s'il l'aime toujours;
- le dérange lorsqu'il lit le journal ou regarde la télé;
- lui dit qu'il a mal passé l'aspirateur;
- lui prépare son repas;
- lui dit quoi porter comme vêtements;
- lui fait accroire qu'elle sait mieux que lui ce dont il a besoin;

---

11. Je n'ai pas mis de droits d'auteur sur ce terme. N'hésitez pas à l'utiliser, messieurs.

- répond à sa place ;
- lui coupe la parole ;
- le reprend.

Il devrait plutôt s'inquiéter le jour où elle cessera ces petits gestes.

Le choix de l'homme heureux

Si vous ne désirez pas, messieurs, que votre histoire d'amour, commencée dans la passion et l'enthousiasme, finisse par une escalade sans fin ou par un divorce coûteux, il vous faut au plus tôt comprendre que votre partenaire ne parle pas le même langage que vous et que, comme pour l'apprentissage d'une nouvelle langue, il vous faudra du temps, de la patience et de la pratique pour maîtriser cette nouvelle langue et devenir bilingue. Apprendre une nouvelle langue, tout comme apprendre le monde des femmes, ouvre de nouvelles perspectives et facilite la compréhension des nuances, permettant ainsi de relativiser notre perception de la réalité. Ne laissez pas vos illusions romantiques détruire ce qui pourrait devenir une histoire dans laquelle l'amour se développe au fur et à mesure des chapitres. Mettre tout cela en pratique, surtout ce qui va à l'encontre de vos réactions spontanées, demandera des efforts et du temps. Mais votre patience sera récompensée.

En écrivant ces lignes, j'entends plusieurs hommes dire que les femmes font exprès pour leur rendre la vie compliquée. Si elles cessaient de vouloir jouer à la mère avec nous, si elles n'étaient pas si changeantes, si elles nous laissaient les aider, si elles ne critiquaient pas tout le temps et si elles n'étaient pas si émotives, la vie serait tellement plus facile. Mais voilà, la réalité est que les femmes sont émotives, ce qui ne veut pas dire qu'elles ne peuvent pas être aussi rationnelles. Elles aiment exprimer leurs états d'âme et leurs préoccupations, ce que beaucoup d'hommes perçoivent souvent comme des critiques. Elles sont capables de trouver leurs propres solutions. Alors, messieurs, cessez de sous-estimer vos femmes. Elles sont changeantes comme la mer ; il vous faut donc apprendre à naviguer. Et elles aiment prendre soin des autres, particulièrement de ceux qu'elles aiment, comme vous.

C'est ainsi, que vous le vouliez ou non. Alors, plus rapidement vous apprendrez, respecterez les règles de ses jeux préférés et renoncerez à vos attentes illusoires, plus rapidement vous aurez plaisir à jouer avec elle. Et si elle connaît aussi vos règles, vous pourriez décider à quel jeu jouer à tout moment et vous aurez un double plaisir à jouer avec elle, que vous gagniez ou non la partie. Le plus important n'est pas de gagner, mais de vivre en harmonie.

La lutte pour le pouvoir qui suit immanquablement les débuts romantiques d'une relation ne pourra se transformer en partage du pouvoir que lorsque vous comprendrez que la vie conjugale possède ses propres dynamiques et ses propres règles du jeu[12]. Les deux parte

> **Le jeu des filles consiste à nouer et à dénouer des alliances.**
>
> DEBORAH TANNEN

naires doivent, chacun de leur côté, apprendre et mettre en pratique ces règles afin d'inventer un troisième jeu où les deux seront d'égale force et gagnants. Vous ne pouvez forcer votre partenaire à faire cet apprentissage, mais vous pouvez le faire pour vous, pour mieux vivre avec la femme qui partage votre vie. Le couple n'est pas ce que vous pensez ou ce que l'adolescent en vous espérait. Le couple existe au-delà de vous et de votre partenaire. Et il n'est pas fait pour vous rendre automatiquement heureux. Le couple est fait pour vous confronter à vous-même. Pour être heureux, surtout à long terme, vous devrez faire des efforts, beaucoup d'efforts, autant d'efforts qu'il a été nécessaire pour mener à bien votre carrière.

---

12. Vous en trouverez tous les détails dans mon livre *Qui sont ces couples heureux ?*

Chapitre 5

Les attentes légitimes des femmes

Les attentes légitimes des femmes sont en fait très simples. Toute femme partageant la vie d'un homme est en droit :

- d'être respectée dans sa féminité ;
- de recevoir des marques d'attention ;
- de sentir que son partenaire se dévoue pour elle ;
- d'être valorisée dans ses sentiments.

La femme fera tout pour l'homme qui la respecte et qui répond à ses attentes légitimes. Beaucoup plus qu'il ne l'imagine. Il la fera fuir dans les bras d'un autre homme s'il est toujours sur la défensive, lui donne l'impression de ne jamais être adéquate et lui impose sa façon d'éduquer les enfants, de gérer l'argent, de vivre la sexualité, le choix des activités sociales et les loisirs... L'homme n'obtiendra alors que critiques et mépris de la part de sa partenaire.

L'illusion Playboy

Comme probablement tous les hommes, sains et malsains, j'ai eu l'occasion de parcourir des magazines comme *Playboy* ou *Penthouse* et de visionner des films érotiques. Tous nous présentent des femmes très belles et prêtes à satisfaire tous les fantasmes masculins, sans que l'on soit obligé de leur conter fleurette, et se plient à toutes les positions acrobatiques imaginées par le réalisateur, rarement une réalisatrice[1]. J'ai eu l'occasion, un jour, de rencontrer un «artiste porno» qui m'a avoué que le scénario de ces films tenait sur une seule page et que la principale directive était: «Retiens-toi!»

Je reçois régulièrement des courriels indésirables dans lesquels de jeunes femmes, en tenue légère ou dans des positions on ne peut plus suggestives, m'invitent à visiter leur site en me promettant des plaisirs que je n'ai aucune peine à imaginer. En voici deux exemples:

- Kikou! C'est moi, Alicia, j'ai 19 ans et je suis secrétaire dans une agence de pub. J'ai créé un site perso afin de rencontrer des gens et peut-être commencer une nouvelle relation intime. J'espère bien avoir des discussions chaudes avec toi et, qui sait, même une passionnante relation intime. J'ai même une webcam pour que tu puisses me *mater*! Je suis prête à tout quand je suis chaudasse! Rejoins-moi vite, je t'attends.

- Bonjour. Je suis à la recherche de rencontres coquines, sans tabou ni perversion; j'aime faire l'amour tout simplement, partager quelques moments de plaisir sans prise de tête. J'aime les hommes ou couples qui savent prendre le temps de faire l'amour. Je suis libre en journée. Personnes vénales, passez votre chemin… Sophie.

Je reçois aussi, sans avoir eu besoin de le demander, des invitations à des partouzes et à des échanges de couple, le tout agrémenté de photos très érotiques. On me propose également toutes sortes de pilules et de gadgets pouvant augmenter mes performances sexuelles. Sans dire que l'on peut aussi me rallonger le pénis d'au moins trois bons centimètres.

Si je reçois toutes ces invitations et si les sites pornos constituent l'activité commerciale la plus rentable sur Internet, c'est dire qu'il y a une clientèle pour ce genre de service. Des clients qui croient au sexe facile et jouissif avec des femmes callipyges aux gros seins. «Tu n'as qu'à deman-

---

1. Il existe aussi des romans et des films érotiques écrits et réalisés par des femmes et qui rejoignent davantage l'imaginaire érotique féminin. Il me fera plaisir de vous en faire parvenir la liste sur simple demande à info@optionsante.com.

der, nous sommes à ton service. » On insinue dans la tête de ces hommes, et malheureusement à de plus en plus d'adolescents, que le sexe devrait se vivre comme ça, de façon mécanique, sans que le cœur et l'esprit aient à intervenir. La femme n'y est présentée que comme un objet sexuel, même si c'est un objet actif.

La réalité est très loin de ces fantasmes. Ces invitations cachent souvent des arnaques, et nombre d'hommes s'y sont fait prendre. Cela leur a souvent coûté cher, financièrement et conjugalement, lorsque leur partenaire a découvert qu'ils répondaient à ces annonces et entretenaient des relations illicites. Certains ont perdu leur travail parce qu'ils utilisaient l'ordinateur du bureau. Mais, à mon avis, la plus grande perte réside dans l'illusion entretenue de la femme facile, toujours sexuellement disponible, initiatrice et active, mais qui ne livre que son sexe, jamais son cœur ni son âme.

La sexualité, c'est beau, c'est bon, c'est nécessaire. Non seulement assure-t-elle la survie de l'espèce, mais nous, humains, en avons fait aussi une fonction de plaisir et d'échange. Il y a de grandes similitudes entre les actes sexuels des films pornos et les gestes des amoureux, mais le contexte est bien différent. C'est le lien amoureux qui donne tout son sens à l'acte sexuel. Autrement, ce n'est qu'une simple libération de tension. Là se situe l'arnaque : croire que si l'homme rencontre une telle femme, il sera enfin heureux, tout comme la femme qui, elle, naviguera sur les sites de rencontres pour trouver son âme sœur, son alter ego. Les deux se font avoir, car ni l'un ni l'autre ne verront leurs espoirs se réaliser. La femme de la page centrale du *Playboy* et l'âme sœur sont pour moi deux illusions à l'aune de laquelle des hommes et des femmes mesurent leur malheur sexuel et sentimental.

Demander à une femme de répondre à toutes les attentes sexuelles illusoires de l'homme tue le désir de la femme. C'est effectivement ce qui se passe lorsque l'homme veut lui imposer sa fréquence et ses fantasmes sexuels. La perte de libido de la femme après quelques années de vie commune est l'une

À quoi sert la vibration des sexes si elle ne s'accompagne pas de la vibration des cœurs et des esprits ?

des principales sources de consultation en sexothérapie. Heureusement, l'homme sain, au-delà d'une partenaire sexuelle, recherche lui aussi une complice pour se réaliser et une compagne de vie.

Les comportements machos, ou la peur des femmes

Ce qui suit décrit les comportements typiques d'un macho, dans le sens négatif du terme et non dans son sens espagnol. *Macho*, en espagnol, signifie tout simplement homme, mâle, viril. L'homme viril ne correspond pas à la description ci-dessous. C'est plutôt l'homme malsain + qui possède les caractéristiques suivantes et qui aura peur de s'engager réellement avec une femme. Le macho devient l'équivalent de la mégère.

- Il met de l'avant de façon exacerbée toutes les caractéristiques masculines.
- Il croit que la femme lui est inférieure et qu'il faut la limiter aux tâches subalternes.
- Il pense que l'homme est le pourvoyeur et que la femme doit entretenir la maison et s'occuper des enfants.
- Pour lui, seuls les hommes ont le pouvoir de décider.
- Il a des idées très conservatrices.
- Il se donne le droit d'avoir des aventures extraconjugales.
- Il exalte les différences sexuelles au profit du mâle et au détriment de la femme.
- Il se conduit souvent de façon grossière avec les femmes.
- Il perçoit toutes les femmes comme de simples objets sexuels.
- Il quitte sa partenaire dès la conquête consommée.
- Il dit à la femme : «Sois belle et tais-toi.»
- Il ment pour toutes sortes de raisons, surtout par orgueil.

Si tant d'hommes cherchent à dominer ou à contrôler leur conjointe par la colère et la menace, serait-ce parce qu'ils ont peur d'elle? Peur d'être contrôlés? Peur de passer pour une mauviette aux yeux de leurs copains aussi machos qu'eux? Peur d'éprouver des émotions et des sentiments qui pourraient les submerger? Peur de perdre des privilèges? Croyez-vous, messieurs, qu'en dominant, en manipulant ou en contrôlant votre partenaire vous ferez disparaître ces craintes? Au contraire, car contrôle et harmonie sont antinomiques dans une relation conjugale harmonieuse.

Est-ce parce que vous avez été élevé à la dure – un homme, ça ne pleure pas et c'est toujours en contrôle de soi – que vous cherchez à dominer les femmes et refusez de leur faire confiance? Est-ce parce que vous croyez que l'homme est supérieur à la femme que vous refusez de les considérer comme vos égales, tant sur le plan du couple que sur le plan social? Croyez-vous vraiment que l'homme doit toujours avoir le dernier mot? Avez-vous tellement peur de votre propre fragilité que vous vous montrez hautain, froid, fort? Ou est-ce parce que vos relations avec les femmes – en commençant par votre mère, vos sœurs et vos premières petites amies – ont été tellement souffrantes que le machisme représente pour vous une réaction d'autodéfense pour ne plus avoir à souffrir? Votre séparation ou votre divorce a-t-il si mal tourné que vous en voulez aux femmes de la terre entière? Avez-vous peur d'aimer parce que vous avez peur d'être exploité ou... abandonné?

J'ai une bonne nouvelle pour vous, machos: vos peurs vous indiquent ce que vous devez apprivoiser. Plus vous apprivoiserez votre vulnérabilité, votre sensibilité, votre peur d'être abandonnés, plus vous serez «humains», et plus vous pourrez développer une véritable relation interpersonnelle faite d'intimité et d'entraide réciproque. Cela peut sembler paradoxal, mais plus vous chercherez à contrôler vos partenaires, plus celles-ci réagiront de telle sorte qu'elles vous confirmeront dans vos peurs. Plus vous chercherez des femmes malsaines faciles à séduire et à dominer, moins vous les respecterez et moins vous vous respecterez.

Aimer, c'est donner la possibilité à l'autre de nous faire souffrir.

Ne cessez pas d'avoir peur, mais osez aller vers la femme avec vos peurs et apprivoisez-vous à elle. Vous verrez, le jeu en vaut la chandelle. Plus vous aurez confiance en ses capacités et caractéristiques féminines, plus vous trouverez en elle une alliée compréhensive et indéfectible. Votre sentiment de sécurité se développera à l'intérieur de vous, et non en recherchant la femme qui n'existe que dans votre tête.

La meilleure façon pour un homme de faire fuir une femme saine, c'est de jouer à celui qui sait tout, qui sait mieux que les autres, qui se montre condescendant ou qui joue à l'indépendant. Tout cela sonne faux, et vous ne duperez pas les femmes saines qui sentent l'honnêteté ou le mensonge des hommes et des femmes. Elles ont une capacité naturelle d'empathie supérieure à celle des hommes, ce qui leur permet de «sentir» si l'autre est transparent ou non. Cessez de croire que le contrôle vous rendra heureux. La loi du paradoxe dit que plus vous cherchez à obtenir quelque chose, moins vous l'obtenez, comme dans le cas de l'insomniaque. Le principe de la balle au mur dit que vous obtenez ce que vous offrez: méprisez votre partenaire, elle vous méprisera. Aimez-la, elle vous aimera.

Le respect de sa féminité

Les femmes ont non seulement droit au respect de leur partenaire dans ce qu'elles sont et font différemment, mais elles ont aussi droit à leur confiance. Je n'hésite jamais à conseiller aux femmes de faire la révolution ou de divorcer lorsqu'elles n'obtiennent pas ce respect, parce qu'à la longue elles perdront le respect d'elles-mêmes et accentueront le non-respect de leur partenaire pour elles. Un homme qui respecte sa partenaire et a confiance en elle est capable, par exemple, de lui confier l'administration des comptes et de signer des chèques en blanc. Le faire, c'est considérer qu'elle peut être meilleure que vous en comptabilité, ce qui ne vous enlève rien.

> **Faire confiance à quelqu'un est une preuve que vous anticipez le meilleur.**
>
> Laura Doyle

Si tant de femmes sont critiques, c'est qu'elles sentent que leur partenaire les sous-estime. La femme a besoin de cette estime pour être au meilleur d'elle-même et, à son tour, faire confiance à son homme et s'abandonner à lui. Toute femme saine mérite qu'on lui parle avec déférence. Aucune violence verbale, encore moins physique, ne devrait être tolérée. Évidemment, si votre partenaire accepte que vous lui parliez sur un ton méprisant (femme malsaine −) ou vous répond du tac au tac (femme malsaine +), cela prouve, selon le principe du miroir, que vous êtes vous-même un homme malsain. Lui manquer de respect, c'est aussi vous manquer de respect, puisque vous méprisez la personne que vous avez choisie. Ne pas faire confiance à autrui est signe que vous n'avez pas confiance en vous-même.

Des marques d'attention

«Chéri, est-ce que tu m'aimes?» Quel homme n'a jamais entendu cette phrase? Quel homme n'a jamais entendu aussi la question suivante: «Tu n'as rien remarqué?» Ces questions, surtout la deuxième, embarrassent l'homme qui ne sait que répondre: «Remarqué quoi? Il faut croire que oui si je vis avec toi.» Ce que tout homme devrait comprendre, c'est que sa partenaire a besoin d'être régulièrement rassurée sur l'existence de la relation et qu'elle doit sentir qu'elle est importante à ses yeux.

Si on compare la femme à la mer, on pourrait comparer l'homme à la terre: la terre bouge et change beaucoup moins rapidement que la mer. Comme tout être humain normal a tendance à croire que les autres fonctionnent comme lui-même, l'homme sera porté à croire que la femme est stable; la femme, elle, croira que l'homme est changeant, tout comme elle. D'où son besoin de multiples marques d'attention, et surtout de paroles, pour être rassurée sur la pérennité de la relation. Dire régulièrement la formule magique «Je t'aime» ou «Tu es la femme de ma vie» ne coûte rien et rapporte beaucoup.

En fait, ce n'est pas vrai que cela ne coûte rien. Il faut être un homme pour savoir la difficulté que la plupart des hommes éprouvent à exprimer un sentiment ou une émotion. Non seulement exprimer une émotion représente souvent un signe de faiblesse pour nombre d'hommes, mais exprimer une émotion, c'est se mettre à nu; c'est se montrer vulnérable; c'est donner du pouvoir à l'autre. Exprimer une émotion, c'est engageant. Croyez-le ou non, mais j'ai reçu des clients qui vivent avec leur femme depuis des décennies et qui ne lui ont jamais dit «Je t'aime». Pour un homme qui fonctionne de façon linéaire, dire «Je t'aime, ma chérie», c'est compromettant, car c'est s'engager pour la vie.

Tel n'est pas le cas pour la femme qui, depuis des siècles, a appris à exprimer ses émotions et à utiliser celles-ci pour établir des relations. Et ce n'est pas parce qu'une femme vous a dit une fois «Chéri, je t'aime» que vous avez une garantie à vie. D'où l'importance de lui dire et de lui démontrer par des gestes que vous l'aimez et que vous tenez à elle. Il n'est pas nécessaire que ces gestes soient grandioses.

Si vous êtes père d'un garçon et d'une fille, vous avez dû vous rendre compte, dès leur plus jeune âge, de certaines différences entre eux. Par exemple, la petite fille cherche à attirer l'attention sur elle-mêmes, alors que le petit garçon attire l'attention sur ce qu'il fait. La petite fille tournera sur elle-même, alors que le petit garçon montrera le camion qu'il vient de construire. Le petit garçon s'activera en grimpant aux arbres, alors que la petite fille fera des dessins de personnes. L'activité est la priorité de l'homme; la relation, celle de la femme. Alors, qu'attendez-vous, messieurs, pour lui confirmer que vous êtes bien dans la relation et que vous voulez vous y investir? Le centième «Je t'aime» est beaucoup plus facile à dire que le premier[2], et peut être encore plus sincère.

Je sais, et des études britanniques l'ont prouvé, que les hommes dans leur ensemble détestent aller dans les magasins. Pourtant, voilà l'une des meilleures stratégies que l'homme peut utiliser pour confirmer à sa femme qu'il fait attention à elle. La prochaine fois que vous irez magasiner (faire les boutiques) avec elle, prenez furtivement en note les choses (bijou, chemisier, foulard) devant lesquelles elle s'est extasiée, et vous aurez suffisamment d'idées pour lui manifester des marques d'affection pendant les mois à venir. N'oubliez pas de prendre aussi en note le nom de la boutique... à son insu.

La dévotion

En dehors de son acception religieuse, le terme «dévotion» définit un attachement ardent à quelqu'un. Sentir que son partenaire est dévoué au couple et à la famille et qu'elle peut toujours compter sur lui sécurise la femme. Non pas qu'elle ne puisse trouver en elle-même sa propre sécurité, mais parce que sa nature de femme et son monde intérieur changeant la mettent dans des situations d'insécurité. Je trouve très significatif que le mot «enceinte» se dise *embarazada* en espagnol. De sentir que son parte-

---

2. Chaque fois que vous dites «Je t'aime», vous sensibilisez un circuit neurologique dans votre cerveau qui fait que non seulement vous avez plus de facilité à le dire, mais votre femme devient plus aimable. C'est drôle, non?

naire se consacre non seulement à son propre bien-être, mais aussi au sien et à celui des enfants (existants ou à venir), facilite chez la femme l'abandon à sa mission biologique et l'abandon dans les bras de son homme.

La dévotion ne signifie pas que l'homme doit se mettre à genoux devant sa femme. Au contraire, car la femme a besoin de sentir que son conjoint se tient debout et ne se laisse pas facilement désarçonner par ses scénarios de catastrophe, particulièrement lors de ses grossesses, moment où son taux de progestérone est à son maximum, et lors de périodes difficiles sur le plan financier. Elle a besoin de se faire dire : « On va passer au travers. » C'est pourquoi, encore aujourd'hui, nombre de films états-uniens présentent les hommes comme le sauveur des femmes. Quoiqu'on assiste de plus en plus à la réalisation de films où c'est la femme, ou un groupe de femmes, qui devient l'héroïne qui ne craint rien et qui va à la défense des gens en difficulté. Les temps changent !

La valorisation sentimentale

Quelle femme n'a jamais entendu des phrases telles que : « Tu t'en fais pour rien », « Tu exagères encore ! », « Tu vois tout en noir » ou, pire, « T'es une véritable hystérique ». Rien n'est plus dévalorisant et angoissant pour une femme que de ne pas être reçue dans ses intuitions ou ses pressentiments. Ou de se faire repousser lorsqu'elle a envie d'être câlinée, et seulement câlinée. La femme vit, au-delà du monde physique, dans un monde subjectif fait d'émotions et de sentiments. Lorsqu'elle exprime son vécu, positif ou négatif, et qu'elle ne se sent pas écoutée par son partenaire, il y a fort à parier qu'elle non plus ne sera pas réceptive aux attentes et besoins légitimes de son partenaire.

Émotions et sentiments sont les deux côtés d'une même médaille. Certaines émotions se traduisent par des réactions corporelles (expressions faciales de joie ou de peur) et des actions physiques (fuite ou agression). D'autres se manifestent par des réactions physiologiques (sécrétion d'adrénaline, augmentation du rythme cardiaque, tension artérielle). Elles sont généralement visibles et mesurables. Il en va tout autrement des sentiments qui sont davantage des pensées subjectives que des actions concrètes. Le sentiment est plus intérieur et plus intime : il est au cœur même de la personne et souvent le résultat d'une réflexion plus ou moins longue, comme le sentiment amoureux comparativement à la passion. On pourrait dire de l'émotion qu'elle est un processus mental qui s'exprime dans le corps.

Contrairement à l'homme, dont le cerveau fonctionne par «tiroirs» (une seule chose à la fois), le cerveau de la femme fonctionne de façon holistique. Accueillir ou éconduire une émotion ou un sentiment féminin, c'est accueillir ou repousser la personne tout entière. Qu'un homme se fasse dire non à une demande, il reviendra à la charge. Dites non, par exemple, à une demande sexuelle de votre partenaire, et vous risquez fort qu'elle vous dise quelque chose comme: «Ce n'est pas de sitôt que je vais te refaire cette demande. Tu trouves que je ne prends pas assez d'initiatives et quand j'en prends, tu *me* repousses.» C'est l'une des raisons pour lesquelles elle réagit si négativement (parce qu'elle a été éconduite) ou de façon si enthousiaste (parce qu'elle se sent acceptée et valorisée dans ce qu'elle est).

Peu importe le sentiment exprimé, c'est presque une question de vie ou de mort pour la femme. Rappelez-vous que, pendant longtemps, sa survie dépendait de sa relation à l'autre, et vous comprendrez qu'être valorisée, ou au moins reçue, dans ses sentiments et réactions émotives est une façon très directe de lui démontrer l'importance qu'elle a pour vous. Soyez ouvert à ce besoin de valorisation sentimentale, et elle sera à son tour plus ouverte à votre propre besoin d'être valorisé dans vos actions et vos initiatives. Si vous la repoussez, vous serez également repoussé.

Le choix de l'homme heureux

L'homme adulte et heureux cesse d'entretenir l'espoir d'une princesse toujours charmante et réceptive. Votre femme n'est pas parfaite et ne le sera jamais. Vous ne réussirez jamais à la satisfaire totalement, mais vous pouvez essayer de le faire en respectant les quatre attentes légitimes de la femme saine. L'homme heureux est un homme centré, autonome, bien différencié et qui reconnaît que sa femme puisse aussi l'être. Au-delà des attentes légitimes de sa partenaire, l'homme doit aussi tout faire pour satisfaire ses besoins conjugaux fondamentaux.

Chapitre 6

Les cinq besoins conjugaux fondamentaux des femmes

La plus grande erreur des hommes est de croire que les femmes ont les mêmes besoins qu'eux. En tant qu'êtres humains, nous avons tous les mêmes besoins, mais, en tant qu'êtres sexués, l'ordre d'importance de ces besoins varie. La plupart des femmes n'ont pas tellement besoin d'être valorisées pour ce qu'elles font, mais surtout pour elles-mêmes. La femme ne ressent pas le besoin d'une activité sexuelle génitale aussi intense et fréquente que son partenaire, même si cette sexualité génitale contribue à son épanouissement. Toutefois, elle compte sur son partenaire pour la satisfaction de ses cinq besoins fondamentaux, et elle aimera et demeurera avec l'homme qui saura le mieux satisfaire ses besoins légitimes.

La banque d'amour

Selon le psychologue Willard F. Harley[1], nous possédons une banque d'amour constituée d'autant de comptes affectifs que de personnes que nous connaissons. J'aime bien cette idée de la banque d'amour, idée reprise par Gottman et son équipe sous l'appellation «compte d'épargne émotif» et par Gary Chapman (dont je reparlerai plus loin) comme un «réservoir émotionnel». Toute interrelation agréable avec une personne ajoute un dépôt dans le compte de cette personne, alors que toute

---

1. Harley, Willard F., *Elle et lui. Combler les besoins de chacun pour une relation durable*, Brossard, Un monde différent, 2ᵉ éd., 2009. Plusieurs des idées présentées dans ce chapitre sont tirées de ce livre.

interaction pénible provoque un retrait. Nous entretenons plus facilement les relations dont le solde est élevé, et évitons les relations dont le solde est au passif. Et nous devenons amoureux de la personne dont le compte en banque d'amour est le plus élevé.

Au début d'une relation amoureuse, les dépôts sont fréquents, car chacun cherche à séduire l'autre. Durant la lune de miel, l'actif dépasse largement le passif: les amoureux passent beaucoup de temps ensemble, expriment leurs sentiments réciproques et font fréquemment l'amour. Les sensations, les émotions et les rêves sont passionnés, ce qui cimente la relation. Pendant cette période, tout est facile. Vient un temps, toutefois, où, en raison des conflits insolubles et des crises inévitables de la vie à deux, des retraits commencent à se faire. Les membres des couples heureux savent regarnir leur compte en banque lorsque l'actif baisse. Mais, chez certains couples, les retraits finissent par dépasser largement les dépôts, amenant ainsi le couple au bord de la faillite. Le réservoir émotionnel a fini par se vider.

L'homme qui veut être heureux à long terme doit donc tenir compte des besoins conjugaux fondamentaux de sa conjointe, car celle-ci fera un dépôt chaque fois que l'un de ses besoins sera satisfait. Il augmentera ainsi les probabilités que sa partenaire fasse de même. Si, au contraire, il ne tient pas compte des besoins de celle-ci, il se peut que le compte en banque qu'elle entretient pour un collègue de travail ou un voisin dépasse un jour le solde de celui qu'elle entretient avec son conjoint et que l'irréparable survienne.

Quels sont donc ces besoins fondamentaux de la femme? Pour vérifier vos connaissances, indiquez dans le tableau ci-dessous si les besoins énumérés sont plus féminins ou plus masculins. Cinq de ces besoins sont davantage féminins et cinq, masculins. Puis, rangez-les en ordre d'importance de 1 à 5, tant les besoins féminins que masculins. Il existe d'autres besoins conjugaux exprimés par les hommes et les femmes, j'en ai énuméré vingt-cinq dans mon Test d'évaluation du bonheur conjugal[2], mais je crois que les dix besoins ci-dessous sont les plus importants pour la réussite de votre vie conjugale.

---

2. Vous pouvez remplir ce test en vous rendant à http://www.yvondallaire.com/pdf/Testbonheurconjugal.pdf.

TABLEAU 3. LES BESOINS CONJUGAUX FÉMININS ET MASCULINS

Besoins conjugaux	Plus féminins	Plus masculins
Communication verbale		
Engagement familial		
Honnêteté et transparence		
Jeux et loisirs		
Paix et tranquillité		
Sécurité financière		
Séduction et esprit		
Satisfaction de ses besoins affectifs		
Satisfactions de ses besoins sexuels		
Valorisation de ses compétences		

Il se peut que la liste des cinq besoins féminins (voir un peu plus loin dans ce chapitre), présentés par ordre d'importance, vous apparaisse plutôt conservatrice, mais ma pratique en psychothérapie conjugale m'a confirmé le bien-fondé de ces besoins féminins. La frustration des femmes constitue la récrimination la plus fréquente que j'ai entendue de leur part, tant dans mon bureau qu'autour de moi. Il s'agit qu'un seul de ces besoins soit non comblé pour que le couple soit en péril. Des hommes me consultent parce que leur femme ne parle pas assez de ses émotions, mais si peu. Des femmes me consultent pour l'absence ou le manque d'activités sexuelles, mais devinez combien...

Parmi les hommes qui n'arrivent pas à satisfaire les besoins légitimes de leur partenaire, peu le font par égoïsme; c'est plutôt parce qu'ils ignorent l'importance et l'intensité de ces besoins. Après avoir lu ce chapitre, messieurs, vous ne pourrez plus plaider l'ignorance. Et si vous acceptez de bonne grâce d'en tenir compte, vous découvrirez des plaisirs insoupçonnés et gagnerez une femme aimante et dévouée pour la vie. Tenir compte des besoins de sa partenaire est un investissement, non une soumission. Rappelez-vous le principe de la balle au mur.

La satisfaction de ses besoins affectifs

Trop peu d'hommes comprennent les besoins affectifs des femmes, tout comme très peu de femmes comprennent l'intensité des besoins sexuels des hommes. Pour la femme, surtout la jeune femme, l'affection est aussi essentielle à son bien-être que la nourriture ou la respiration. Lorsqu'une femme choisit un homme comme partenaire, elle recherche un complice pour partager intimité et sentiments. Son premier critère de sélection n'est pas la beauté du corps, mais la bonté du cœur. Est-il affectueux? Est-il attentif? Elle est alors prête à renoncer à tous les autres hommes si elle trouve avec ce partenaire toute l'affection dont elle a besoin. Comme, au début, l'homme est particulièrement empressé, enveloppant et qu'il lui donne vraiment l'impression qu'il l'aime autant qu'elle peut l'aimer, elle s'imagine qu'il sera toujours ainsi, et même plus. Tout comme vous croyez, messieurs, que votre partenaire sera toujours aussi disponible sexuellement qu'elle l'est au tout début, et même plus.

Le manque d'affection est l'une des principales plaintes formulées par les femmes en thérapie conjugale. C'est ce manque d'affection qui pousse habituellement la femme dans les bras d'un autre homme qui lui démontre de l'intérêt. Pour la femme, la sexualité est une conséquence, et non un objectif. Elle sera d'autant plus disponible sexuellement que ses besoins affectifs seront comblés et l'environnement sécurisant. Pour comprendre l'intensité de la frustration affective d'une femme, l'homme n'a qu'à se rappeler ce qu'il vit lorsqu'elle refuse de faire l'amour. La femme a souvent l'impression d'avoir été «abusée» affectivement par son partenaire qui, au début, se montrait si affectueux; elle se retrouve, quelques années plus tard, avec un homme qui lui donne l'impression qu'il a toujours la même idée dans la tête: sexe, sexe, sexe. Elle en conclut qu'il ne respecte pas ses engagements affectifs.

Lorsqu'il s'agit de sexe et d'affection, vous ne pouvez avoir l'un sans l'autre.

Willard F. Harley

Ne venez surtout pas me dire que vous n'êtes pas du genre affectueux. Tout homme de bonne foi peut apprendre à être affectueux au même titre que toute femme de bonne foi peut développer son érotisme et apprendre à être plus sexuelle. Apprendre à être affectueux, même si cela vous demande des efforts, est le meilleur investissement que vous puissiez faire pour que vos cinq besoins conjugaux fondamentaux masculins soient satisfaits au-delà de vos espérances.

Peut-être n'êtes-vous pas affectueux verbalement? Peut-être avez-vous de la difficulté à exprimer en mots ce que vous ressentez? Je veux bien l'admettre, mais je vous le répète : vous pouvez apprendre. En attendant, il y a un geste que vous pouvez facilement faire : la prendre dans vos bras, en contenant vos arrière-pensées sexuelles. L'étreinte est pour nombre de femmes un geste aussi essentiel que faire l'amour est nécessaire pour l'homme. Prendre votre femme dans vos bras avant de partir et en revenant du travail, lui tenir la main lorsque vous marchez ensemble : voilà deux façons de lui exprimer tout votre amour. Dire «Je suis content de te voir», «Je t'aime», «Tu es importante pour moi», «Je serai toujours là pour toi, quoi qu'il arrive» est à la portée de tous les hommes.

Les femmes entre elles s'étreignent spontanément et n'y voient là rien de sexuel, contrairement aux hommes qui n'osent le faire entre eux pour cette même raison. Du moins en Amérique du Nord, car les hommes européens vont facilement s'embrasser sur les joues. Les femmes prennent facilement des enfants, des animaux et même des objets (poupées, ours en peluche) dans leurs bras. Elles sont souvent très surprises et peuvent se sentir mal à l'aise parce qu'un ami, un collègue de travail ou un voisin a pu voir dans une étreinte un geste sexuel. Prendre régulièrement votre femme dans vos bras est une excellente façon d'enrichir votre compte en banque affectif et, paradoxalement, sexuel. Les couples heureux à long terme se touchent au moins cinq minutes par jour dans un contexte non sexuel et surtout non génital. J'ai même appris qu'en japonais «être amis» se dit «respirer ensemble». Sans parler des nombreuses recherches qui démontrent que le fait de se prendre ainsi dans les bras et de respirer ensemble diminue le niveau de stress et stimule notre système immunologique[3].

---

3.   Il existe de nombreuses formes d'étreintes : http://www.demotivateur.fr/article/ calins-amour-couples-etreintes-amoureux-5915.

Au-delà de l'étreinte, voici quelques petits gestes fortement appréciés par les femmes en général :

- Lui dire bonjour au réveil et bonne nuit avant de sombrer dans le sommeil.

- Lui prendre occasionnellement la main lors des repas en tête-à-tête.

- Lui téléphoner du bureau pour lui dire simplement «Je t'aime», et lui demander si tout va bien. Vous pouvez aussi lui laisser un message dans sa boîte vocale.

- Lui faire une surprise en laissant des petits mots d'amour cachés un peu partout.

- Avant de quitter le bureau, appelez-la pour savoir si elle a besoin de quelque chose, et lui dire l'heure de votre arrivée.

- Ne jamais oublier un anniversaire. Ne lui faites que des cadeaux personnels, jamais des cadeaux utiles.

Les femmes peuvent vous apprendre beaucoup sur l'expression affective si vous les observez ou le leur demandez. N'oubliez jamais que, pour une femme, un échange sexuel commence généralement par un échange affectueux. Mais ne lui dites pas que vous l'aimez seulement parce que vous voulez du sexe, dites-lui que vous l'aimez tout simplement parce que vous l'aimez.

Nous venons peut-être de planètes différentes, mais nous vivons sur la Terre maintenant.

Pour le psychologue William F. Harley, «l'affection est l'environnement et la relation sexuelle un événement». Cela résume très bien le point de vue de la femme : l'événement survient lorsque l'environnement y est propice. Même si cela peut paraître vieux jeu ou stéréotypé, le chemin du cœur constitue la meilleure voie pour ouvrir le corps d'une femme, alors que c'est le chemin du corps qui ouvre le cœur d'un homme. Chose certaine, l'un ne va pas sans l'autre.

La communication verbale

Au-delà d'une compagne sexuelle, les hommes recherchent une partenaire qui acceptera de partager ses loisirs et ses jeux. Connaissez-vous, messieurs, le jeu préféré des femmes, celui auquel toute femme saine s'adonne le plus souvent possible ? Oui, le dialogue. Alors que vous préférez les jeux d'action et de compétition, en couple ou en groupe, le loisir préféré des femmes ressemble davantage à une bonne conversation avec vous autour d'un souper aux chandelles ou à un entretien téléphonique avec sa meilleure amie.

Au début, les hommes sont très communicatifs. Toutes les occasions sont bonnes pour converser et les sujets ne manquent pas. Mais dès la conquête assurée, on dirait qu'il perd tout intérêt à ces conversations et qu'il préfère lire son journal, regarder la télévision ou surfer sur Internet. Il peut même trouver agaçant que sa partenaire passe tant de temps à converser avec ses amies. Elle le fait souvent parce qu'elle a l'impression qu'il se désintéresse d'elle. Les hommes ne ressentent pas autant le besoin de parler que leur femme. Et quand ils parlent, c'est au sujet de choses pratiques. Lors des silences, les femmes font des retraits de leur banque d'amour, car, pour faire l'amour, elles ont besoin de se sentir proches de leur partenaire, ce que la communication verbale leur procure.

Il faut du temps pour communiquer, certes, mais si vous n'investissez pas dans le dialogue, ne vous surprenez pas que votre couple fasse faillite. Les couples heureux passent un minimum de cinq heures par semaine en tête-à-tête. Ce n'est pas beaucoup comparativement à tout le temps passé ensemble lors de leur lune de miel, mais c'est

> Dans le psychisme féminin, la conversation se mêle à l'affection.
>
> W. F. HARLEY

suffisant. Ces cinq heures ne servent qu'à une chose : être ensemble pour mieux se connaître et se tenir réciproquement au courant de ce qui arrive à chacun et au couple. C'est du temps où l'on se rappelle de bons souvenirs et où on élabore des projets à court, à moyen et à long termes. À part ces moments privilégiés, il faut toutefois ajouter les activités familiales et sociales pour les loisirs. Au total, selon Harley, l'homme devrait passer au minimum de quinze à vingt heures par semaine avec sa partenaire pour s'assurer une union heureuse à long terme.

Comme il n'y a que cent soixante-huit heures dans une semaine, vous serez obligé de renoncer à certaines activités afin de pouvoir investir du temps avec votre partenaire. Ce renoncement vaut la peine si vous voulez faire d'elle votre meilleure amie-amante et non seulement la mère de vos enfants. Vous avez certes droit à votre vie personnelle, mais si vous n'investissez pas ce temps d'intimité avec votre compagne, ne vous surprenez pas si elle vous dit régulièrement que vous n'êtes *jamais* là. Les hommes investissent beaucoup de temps, d'énergie et d'efforts dans leur travail ; c'est pourquoi ils réussissent généralement très bien. Mais s'ils ne le font pas pour leur couple, ils pourraient entendre parler rapidement de divorce. Il n'y a pas de doute que la femme veut aussi profiter de ce confort matériel, mais à quoi sert la plus belle des maisons si elle s'y retrouve seule la plupart du temps ?

Chaque fois que vous dialoguez avec votre partenaire et que celle-ci vit des moments de qualité en votre compagnie, vous faites des dépôts dans sa banque d'amour pour vous. De nombreuses femmes investissent temps, énergie et efforts dans leur travail, les soins aux enfants et l'entretien de la maison et espèrent pouvoir passer quelques heures en compagnie de leur partenaire. Si vous ne la secondez pas dans cette tentative de conciliation travail-famille-couple, vous serez aux prises avec une partenaire qui critique plus souvent qu'elle ne vous valorise et qui, épuisée, verra sa libido diminuer. Deux choses à surveiller lorsque vous conversez avec votre partenaire : le contenu de la conversation doit être positif ; il doit y avoir un équilibre quant aux thèmes choisis et au temps accordé à chacun.

L'honnêteté et la transparence

Pourquoi, messieurs, croyez-vous que votre partenaire veut tant converser avec vous ? Elle veut s'assurer qu'elle peut vous faire totalement confiance. Elle veut savoir si vous lui dites vraiment ce que vous ressentez et pensez. Elle vérifie si vous êtes honnête et transparent. Elle évalue si elle peut lâcher prise et s'abandonner totalement à vous.

De nombreuses clientes m'ont confirmé qu'elles préfèrent que leur partenaire leur dise des choses désagréables plutôt que de se taire. La femme veut savoir que son conjoint ne cherchera pas à lui cacher des faits de peur de lui déplaire, être certaine qu'il lui dira non quand il n'aura pas le goût de lui dire oui, être assurée qu'il sera franc avec elle lors de discussions difficiles. Bref, le fait de savoir qu'il lui dit toujours la vérité confirmera à la femme qu'il est sincère lorsqu'il lui dit : « Chérie, je t'aime. » Tout ne doit pas être nécessairement dit en couple, mais tout devrait pouvoir se dire si un climat de confiance réciproque s'est construit avec le temps. Comment voulez-vous bien vous comprendre, vous connaître et négocier des ententes gagnant-gagnant si l'un des deux partenaires n'est pas totalement transparent ? Pour la femme, sentir que son partenaire fait preuve de complaisance ou qu'il n'est pas sincère sèmera le doute sur l'ensemble de la relation.

Je suis le premier à suggérer aux femmes de fuir les menteurs et les manipulateurs pathologiques, car la relation ne peut que devenir toxique. Mais il existe aussi des menteurs de bonne foi : ceux qui veulent éviter des réactions intempestives de leur partenaire ou ceux qui ont peur de les blesser ou de les déranger. Les premiers n'avoueront pas, par exemple, qu'ils ont oublié de payer telle facture ou de faire tel message. Les seconds cacheront qu'ils ont des problèmes au bureau en disant que tout va bien. Dans les deux cas, lorsque la vérité sort, ces hommes risquent fort de se faire dire : « Mais pourquoi tu m'as caché ça ? » ou « Pourquoi ne m'en as-tu pas parlé avant ? ».

Pour la femme, ces mensonges sont des indices que son partenaire ne lui fait pas confiance. Et comment pourrait-elle avoir confiance en quelqu'un qui ne lui fait pas confiance ? Comment pourrait-elle réagir adéquatement si elle ne connaît pas la vérité, toute la vérité ? Chaque mensonge par omission, pour faire plaisir, par politesse, pour améliorer la situation, pour protéger l'autre, pour se faire valoir est un retrait de la banque d'amour. L'homme qui ment sous-estime sa partenaire et fait preuve d'un orgueil machiste. Pas surprenant que sa partenaire ait des réactions émotives qu'il trouve intempestives et exagérées.

Par contre, chaque vérité renforce la stabilité émotionnelle de votre partenaire. Imaginez un lac. L'eau, c'est la femme. La terre, c'est l'homme. Si vous n'êtes pas vrai et sincère, si vous n'osez pas être vous-même, le mélange de l'eau et de la terre donnera de la boue. Mais si, au contraire, vous vous affirmez sans vous imposer, si vous êtes solide et vrai, il n'y aura pas de mélange boueux puisque chacun saura où se trouve l'autre ; il y aura une belle plage tout autour de l'île. Chacun a droit à sa vie privée et à sa vérité, mais pour qu'il y ait une saine intimité, tout devrait être transparent. Ni l'un ni l'autre n'aura besoin d'utiliser un mot de passe secret pour protéger son ordinateur ; seule la confiance suffira si l'honnêteté et la transparence règnent entre les partenaires. La confiance suscite le respect du territoire de l'autre.

Le mensonge tue, la vérité construit. C'est la méfiance qui pousse une partenaire à lire votre courrier, à vérifier vos appels sur votre téléphone cellulaire, à consulter l'historique des sites visités, à ouvrir votre portefeuille, et tout cela à votre insu. Votre conjointe devrait pouvoir avoir accès à vos secrets les plus intimes. La femme saine sait que ces secrets ne doivent pas être dévoilés, mais elle vous respectera et préservera votre intimité. Le couple est un jeu d'équipe dont chaque joueur doit connaître parfaitement les règles et les respecter.

Lorsque je reçois un couple en thérapie la première fois, c'est pour une période de trois heures : une heure avec chacun des deux partenaires, puis une heure en couple. Je commence les rencontres individuelles en disant que j'ai besoin du maximum d'informations pour pouvoir les aider et que tout ce qu'ils me diront sera évidemment couvert par le secret professionnel. Le contenu de la troisième heure de rencontre est strictement limité à ce que l'un et l'autre veulent bien aborder. Pendant les deux premières heures, j'apprends souvent des secrets jamais révélés à l'autre partenaire. J'encourage évidemment chaque partenaire à les aborder lors de la troisième heure ; cela leur permet de se libérer de leur culpabilité et de retrouver ce que j'appelle la fidélité émotive. Certains le font, d'autres pas.

Parmi ceux et celles qui le font, les réactions sont parfois intenses (colère, anxiété), surtout s'il s'agit d'infidélité. Mais les probabilités d'un divorce sont amoindries de moitié du fait même de cette révélation par l'un des deux partenaires. La plaie guérit avec le temps, et le couple peut se reconstruire si chacun redevient sincère et transparent. La confiance renaît petit à petit, mais cela peut prendre des mois et parfois des années. Quand **Faute avouée à moitié pardonnée.** les couples se séparent à la suite d'un aveu d'infidélité, c'est parce que le mensonge s'est ajouté à la trahison.

La sécurité financière

Si les femmes ont tant besoin de dialoguer pour vérifier l'honnêteté et la transparence de leur partenaire, c'est qu'elles vivent une insécurité viscérale atavique. C'est la raison pour laquelle elles choisissent généralement des hommes plus âgés de deux à trois ans au minimum et plus grands qu'elles d'environ dix centimètres. La femme recherche la puissance chez l'homme, comme l'homme recherche la fertilité chez la femme. Qu'on le veuille ou non, même si aujourd'hui les femmes sont de plus en plus autonomes financièrement, la sécurité financière est pour plusieurs d'entre elles un besoin important.

J'entends les hauts cris de certaines: «C'est impossible que les femmes choisissent un homme pour son argent» ou «Jamais je ne quitterai un homme parce qu'il ne gagne pas suffisamment d'argent». Et pourtant... Qui, à l'école ou à l'université, était le jeune homme le plus recherché? Celui qui y allait en bicyclette? Ou celui en voiture? Les fan-clubs sont presque exclusivement constitués d'adolescentes parce que leurs vedettes préférées représentent la gloire, l'excitation, la sécurité et qu'elles voudraient être l'élue, comme dans les contes de fées. Et pourtant... Ce sont les hommes les plus riches qui ont le choix parmi les plus belles femmes du monde. Et pourtant... J'ai reçu des couples où la femme avait perdu tout respect et toute admiration parce que son mari avait perdu son emploi. Et pourtant... Les féministes les plus endurcies choisissent des hommes plus grands, plus âgés et plus riches. Les anthropologues sont unanimes: les femmes choisissent les hommes pour la sécurité, au même titre que les hommes choisissent les femmes en fonction de leur fertilité, consciemment ou inconsciemment[4]. Le psychologue canadien John Alan Lee a même démontré que l'amour pragmatique était un style amoureux plus féminin que masculin; c'est comme si la femme offrait de l'amour à un homme pour obtenir de la sécurité en retour.

> Le pouvoir est l'aphrodisiaque suprême.
>
> HENRY KISSINGER

---

4. C'est ce qui explique le fait que les hommes d'un certain âge sont davantage attirés par de jeunes femmes que par des femmes de leur âge.

L'argent constitue l'une des deux principales sources de conflits conjugaux. J'ai reçu des couples en consultation où la femme avait plus d'ambition que son partenaire qui, lui, se satisfaisait très bien du niveau de vie obtenu et ne voyait pas la nécessité de travailler plus pour améliorer son statut social. J'ai reçu un jour un couple qui dépensait plus de 200 000 $ par année et dont la femme exigeait encore plus de son partenaire entrepreneur pour qu'elle puisse davantage combler ses désirs[5]. Je ne suis pas en train de dire que toutes les femmes sont capricieuses ou vénales, je dis simplement qu'il est important pour une femme de se sentir en sécurité, tant financière qu'émotive.

Les hommes ressentent beaucoup moins que leurs compagnes ce besoin, car ils ont appris à compter sur leurs propres moyens. Rappelez-vous que le mot «enceinte» se dit *embarazada* en espagnol. La femme enceinte est vulnérable, car son corps ne lui appartient plus comme avant. C'est pourquoi la présence à ses côtés d'un homme fort, aimant et dévoué sera un gage de sécurité pour elle et l'enfant à naître.

L'engagement

En fait, le besoin de sécurité des femmes ne se limite pas au soutien financier; il inclut aussi le besoin de soutien affectif et moral. Les femmes ont besoin de sentir que leur homme est totalement engagé et dévoué à leur bien-être et à celui de leurs enfants. Elles veulent savoir qu'elles peuvent compter sur eux en tout temps et en toutes circonstances. En fait, la vie rêvée d'une femme pourrait se résumer au scénario suivant:

- Devenir amoureuse d'un homme sentimental et solide.
- Pouvoir tout lui dire et savoir qu'il peut tout lui dire.
- Être assurée d'avoir un homme honnête qui respecte ses engagements.

---

5. Après plusieurs semaines, j'ai réussi à convaincre ce couple de faire un budget. Ils ont ainsi pu faire la différence entre leurs besoins, leurs désirs et leurs caprices. En diminuant les dépenses superflues, ils ont baissé la tension financière qui était en train de vider leur banque d'amour.

- Vivre sans souci, en toute sécurité financière.

- Avoir des enfants qui grandiront dans un contexte d'amour avec un père présent.

- Être convaincue que l'amour peut résister au temps.

C'est ce qu'on lui a raconté lorsqu'elle était enfant : « Il la réveilla d'un baiser ; elle le trouva charmant ; ils se marièrent, eurent de nombreux enfants et vécurent heureux. » Même si, aujourd'hui, la famille se résume à un ou deux enfants et que ceux-ci arrivent de plus en plus tard dans la vie des femmes[6], c'est aussi et encore la réalité désirée par la très grande majorité des femmes saines. Et celles-ci savent instinctivement que les enfants ont besoin d'un père pour leur éducation et leur évolution.

Je connais des femmes qui sont devenues amoureuses d'un homme parce que celui-ci s'amusait avec les enfants lorsqu'il se retrouvait en leur compagnie. Si les hommes savaient le pouvoir érotique qu'ils détiennent lorsque leur femme les voit jouer avec leurs enfants, ils se retrouveraient plus souvent à

> Un bon parent est celui qui comprend l'importance de l'autre parent.

quatre pattes avec eux. Là aussi la femme, devenue mère, s'attend à ce que son partenaire, devenu père, soit un complice dans les soins à donner aux enfants. Malheureusement, l'éducation des enfants constitue une source importante de conflits conjugaux.

Les femmes ont, parfois avec raison, un sentiment de toute-puissance maternelle sur leurs enfants et sont convaincues qu'elles savent mieux que les hommes comment s'occuper des enfants. Il est évident que la majorité des hommes n'ont suivi aucune formation pour être pères et que l'enfant n'est pas arrivé avec le mode d'emploi à la main. Être père s'apprend. Vous pouvez évidemment lire des livres sur le sujet ou suivre des ateliers de formation. Vous y apprendrez l'essentiel de ce qu'il faut faire et ne pas faire. Les enfants ont un énorme besoin de stabilité et de fermeté, mais sans rigidité. Et vous êtes là pour le leur apprendre. Aimer ses enfants

---

6. L'âge moyen du premier enfant est de 28 ans au Canada, 28,7 ans en France et 25 ans aux États-Unis. Source : Langis et Germain, *La sexualité humaine*.

ne consiste pas à tout leur laisser faire : ils ont besoin de discipline s'ils veulent apprendre à vivre en société. Comme les enfants sont plus malléables que les adolescents, commencez dès maintenant.

C'est en étant père que l'on apprend à être père.

Commencez dès maintenant à vous entendre avec votre partenaire sur des règles éducatives communes. Mettez l'accent sur les éléments qui font consensus plutôt que d'imposer vos règles. Sachez, messieurs, que l'enfant possède une devise : diviser pour régner. D'où l'importance d'être deux à véhiculer les mêmes principes éducatifs. Ne démissionnez jamais de votre rôle de père et surtout de votre fonction paternelle[7], même si parfois votre fonction s'oppose à celle de votre partenaire. En tant qu'homme devenu père, vous avez deux missions. La première est de séparer l'enfant de la mère pour permettre à celui-ci de s'élancer dans la vie. C'est d'ailleurs ce que vous faites spontanément lorsque vous lui faites vivre des sensations fortes, lorsque vous le tenez verticalement dans vos bras, le bercez sur votre pied, le faites tourner en lui tenant les bras et le lancez en l'air. Continuez, même si votre partenaire vous dit de faire attention ou pousse de hauts cris.

Votre deuxième mission est de rappeler à la mère qu'elle est aussi une femme de plaisirs, non seulement un être généreux de don de soi. Là aussi, vous le faites spontanément lorsque vous voulez faire des loisirs avec elle et vous rapprocher d'elle sexuellement, une fois terminé son post-partum. Moins vous travaillerez à faire du duo mère-enfant une triade père-mère-enfant, plus votre amante deviendra et demeurera mère. Vous devrez toutefois accepter de partager votre amante avec vos enfants. Vous ne serez plus jamais son seul centre d'attention. C'est d'ailleurs ce qu'elle exige de vous : un engagement conjugal, paternel et familial sans faille.

---

7. Lire à ce sujet le texte *La réelle fonction du père* : http://www.optionsante.com/yd_reactions_fonctpere.php.

Le choix de l'homme heureux

L'homme qui se veut heureux à long terme doit connaître et respecter les cinq besoins conjugaux fondamentaux de sa partenaire, et en tenir compte. Accepter de satisfaire ces besoins réels et tout à fait légitimes n'implique aucune soumission, puisque la femme qui se veut heureuse à long terme devra elle aussi tenir compte des besoins conjugaux fondamentaux de son partenaire. Le couple est au service des deux. L'homme qui satisfait les besoins de sa conjointe devient irrésistible à ses yeux. Il satisfait ses besoins affectifs, et elle a plaisir à faire l'amour avec lui. Il joue avec elle à son jeu préféré, la communication, et elle devient sa compagne de jeu préférée. Il ne lui cache rien de ses sentiments, de ses pensées et de ses actes, et elle sait se faire attirante, attachante et positive. Il lui apporte la sécurité dont elle a besoin, et elle le soutient en privé, en public et respecte son besoin de tranquillité. Il s'engage à fond dans le bien-être de sa famille, et elle le valorise dans sa façon de faire.

Je ne le répéterai jamais assez : il ne peut y avoir que deux gagnants dans un couple ou deux perdants. Pour que l'un soit gagnant, l'autre doit l'être aussi. Accepter de satisfaire les besoins fondamentaux de la femme constitue donc un réel investissement. Appelez ça de la manipulation si vous le voulez, mais c'est de la manipulation à l'usage d'un homme sain, si votre intention est réellement de construire un couple et une famille heureuse. C'est une formule donnant-donnant (sans toutefois tout calculer) dans laquelle les deux partenaires sont à égalité. Si l'un des besoins de votre partenaire n'est pas satisfait, il est fort possible que votre besoin correspondant ne le soit pas non plus. C'est ainsi que les relations conjugales fonctionnent : vous faites continuellement des retraits et des dépôts dans votre banque d'amour. Si vous faites plus souvent des retraits que des dépôts, votre partenaire cessera d'investir dans votre banque.

Il n'est jamais trop tard pour cesser de faire des retraits et pour recommencer à faire des dépôts dans sa banque d'amour conjugal.

TABLEAU 4. LISTE DES BESOINS CORRESPONDANTS

Besoins masculins	Besoins féminins
Sexualité	Affection
Jeux et loisirs	Communication
Séduction et esprit	Transparence
Soutien et paix	Sécurité
Valorisation	Engagement

Tout homme sain éprouve des besoins affectifs, veut aussi communiquer, préfère une femme honnête et transparente, a besoin de sécurité financière et psychologique et s'attend à ce que sa partenaire prenne soin de ses enfants. Mais ces besoins fondamentaux ne sont pas aussi prioritaires qu'ils le sont pour la femme.

Chapitre 7

Les langages de l'amour

Messieurs, connaissez-vous la langue d'amour de votre partenaire ? La façon d'exprimer son amour diffère d'une personne à l'autre, d'un sexe à l'autre, d'une culture à l'autre. Comment voulez-vous que votre partenaire se sente aimée si vous ne parlez pas sa langue d'amour, si vous ne vous en tenez qu'à votre propre langue amoureuse ? C'est peut-être pour cela que, malgré tout votre amour, toute votre bonne foi, tous vos efforts, votre partenaire continue de vous demander : « Est-ce que tu m'aimes ? »

Au même titre que chacun d'entre nous possède une langue maternelle, chaque personne développe aussi ce que l'on pourrait appeler une langue d'amour maternelle. À la naissance, nous pouvons apprendre toutes les langues existantes, mais nous apprenons celle de nos parents. Il en va de même pour l'amour. Chacun d'entre nous apprendra au cours de son enfance à exprimer l'amour d'une certaine façon. Si tant de couples formés dans la passion et l'amour finissent par se séparer, l'une des principales raisons réside dans le fait que les deux membres d'un couple ne parlent pas le même langage d'amour. Il est plutôt rare que deux partenaires parlent la même langue sentimentale, d'où les nombreux malentendus dans notre façon d'aimer et d'être aimés. C'est comme si l'un parlait en français et l'autre en chinois : impossible de se comprendre vraiment. Surtout si aucun des deux ne veut apprendre la langue de l'autre et que chacun cherche à imposer la sienne.

L'anthropologue et conseiller conjugal, Gary Chapman, a écrit un excellent ouvrage sur les grands langages de l'amour[1], sur les différentes

---

1. Chapman, Gary, *Les langages de l'amour*, Gatineau, Éditions Farel, 2008.

façons de manifester son « Je t'aime ». Je me suis fortement inspiré de son livre pour vous présenter ce qui suit. Il n'est toutefois pas le créateur du concept de la banque d'amour dont la paternité revient plutôt au psychologue et thérapeute conjugal Willard Harley[2]. C'est une synthèse de leurs deux approches que je vous propose ici en mes mots et selon ma compréhension.

La banque d'amour

Imaginez que vous êtes le propriétaire d'une banque où vous avez ouvert un compte d'épargne affectif pour chacune des personnes que vous connaissez : vos parents, vos amis, vos collègues, vos voisins et, évidemment, votre partenaire. Chaque fois que vous passez un moment agréable avec l'une ou l'autre de ces personnes, vous faites un dépôt en leur faveur. À l'inverse, vous faites un retrait du compte lorsque vous vivez un moment désagréable en leur présence. Chacune de vos connaissances se retrouve donc avec un bilan affectif positif ou négatif. En général, nous favorisons, et aimons de plus en plus, les gens avec lesquels nous vivons des sensations, des émotions ou un partage d'idées agréables. Et nous évitons, et aimons de moins en moins, ceux et celles qui nous laissent un arrière-goût.

Le montant des dépôts et des retraits varie en fonction des sensations, des émotions et du plaisir vécus à chaque rencontre. Habituellement, les amitiés se développent lentement, unité par unité, jusqu'au jour où l'actif du compte est suffisamment élevé pour considérer cette personne comme une amie intime. C'est probablement ainsi que, parmi toutes les femmes que vous avez connues, vous êtes finalement devenu amoureux de celle dont le compte d'épargne émotif était le plus élevé. Idem pour votre partenaire qui, elle aussi, est propriétaire d'une banque d'amour.

Durant la période de séduction et la lune de miel, les partenaires font fréquemment et réciproquement des dépôts dans leur compte d'épargne respectif. C'est ainsi qu'ils peuvent accumuler des milliers d'unités, leur donnant l'impression qu'ils peuvent vivre sur leur capital émotif pour le

---

2. Harley, Willard F., *Elle et lui. Combler les besoins de chacun pour une relation durable*, Brossard, Un monde différent, 2009.

reste de leur vie. Ils décident alors de cohabiter ou de se marier et de former une famille. Toutefois, cette lune de miel n'est pas garante de l'avenir, même si c'est l'espoir de tous les amoureux. La vie à deux étant ce qu'elle est avec ses responsabilités conjugales, familiales, ménagères, financières, sociales et professionnelles, les amoureux en viennent à faire plus de retraits que de dépôts, ce qui risque d'enclencher un processus de désamour. Pour éviter d'hypothéquer l'amour de votre partenaire, une excellente stratégie est d'apprendre à parler sa langue d'amour pour ainsi continuer de faire plus de dépôts malgré les inévitables retraits. Sans renier votre propre langue d'amour maternelle, vous devez devenir bilingue.

Des paroles valorisantes

Une façon d'exprimer l'amour que nous avons pour les autres consiste à prononcer des paroles que nous savons faire du bien. Les couples heureux ont appris à se dire de cinq à dix fois plus de compliments là où les couples malheureux sont incapables d'échanger des paroles bienveillantes. «Tu es très belle», «Tu as le tour avec les enfants», «Tu es si intelligente», «Tu es si aimable», «J'adore quand tu prends de telles initiatives»: des compliments et des paroles d'appréciation sont une excellente façon d'exprimer l'amour, surtout lorsque ces affirmations sont simples et directes. Le climat sentimental s'améliore avec la fréquence des paroles valorisantes.

Sans être un don inconditionnel de soi, l'amour consiste à agir dans l'intérêt du partenaire que nous aimons. Le principe de la balle au mur, dont j'ai maintes fois parlé, confirme que lorsque nous recevons des compliments, nous sommes beaucoup plus disposés à en exprimer en retour. Pas question ici de flatteries ou de flagorneries, mais bien de compliments sincères et vrais.

Des paroles valorisantes peuvent aussi être des paroles d'encouragement. L'un des principaux facteurs de bonheur consiste à développer ses forces plutôt que d'essayer d'améliorer ses faiblesses. Mettre l'accent sur les fautes de l'autre ne peut que le décourager et l'éloigner. Pour encourager quelqu'un, encore faut-il découvrir ce qui compte vraiment pour lui et l'appuyer dans ses efforts pour réussir ce qu'il entreprend. Si vous faites des pressions pour qu'il entreprenne ce que *vous* voulez, vous risquez de subir un retrait de son compte d'épargne émotif. Mais chaque fois que vous encouragerez votre partenaire à développer son potentiel, il fera un dépôt dans sa banque d'amour en votre faveur.

Pour communiquer verbalement votre amour à votre conjoint, mieux vaut employer un ton chaleureux. L'intonation est souvent plus importante que les mots utilisés. Il y a de multiples manières de dire «Je t'aime». Le fait de l'exprimer avec tendresse tout en regardant son partenaire dans les yeux nous donne généralement des dizaines d'unités dans notre compte d'épargne émotif. Et si, par hasard, vous avez été brusque avec votre partenaire, lui avez parlé sur un ton bourru, avez mis l'accent sur ses torts, osez reconnaître votre faute et demandez-lui pardon. Le pardon rétablit l'intimité.

L'un des besoins psychologiques humains fondamentaux est certainement celui de se sentir apprécié. Pour beaucoup d'hommes et surtout pour les femmes, l'amour passe par les paroles. Les femmes, en général, ont besoin de paroles pour confirmer l'existence de la relation. Si, en plus, les paroles valorisantes sont le langage d'amour préféré de votre partenaire, n'hésitez pas à le mettre publiquement en valeur, que ce soit en son absence (vos propos lui seront rapportés) ou en sa présence (vous gagnerez plusieurs points en une seule fois).

Voici un exercice que je propose fréquemment aux hommes qui viennent me voir, avec ou sans leur partenaire, parce que leur couple bat de l'aile ou passe un moment difficile : écrire une lettre d'amour. L'amour se dit et s'écrit. Écrivez-lui qu'elle est la femme la plus importante de votre vie, pourquoi vous êtes devenu amoureux d'elle, pourquoi vous êtes toujours amoureux d'elle et les raisons pour lesquelles vous aimeriez continuer de l'aimer. Écrivez-lui ce que vous êtes devenu grâce à elle ou ce que vous ne seriez pas devenu si elle n'était pas dans votre vie. N'envoyez surtout pas ce message par courriel. Parfumez cette lettre, écrivez-y «Confidentiel» et postez-la[3].

---

3. Si vous avez besoin d'aide, consultez le site suivant : http://tempsreel.nouvelobs.com/abc-lettres/amour/lettres-amour.html.

Des moments de qualité

Pendant la période de séduction et de lune de miel, les amoureux passent facilement plus de vingt à trente heures par semaine en tête-à-tête à parler, à se caresser et à faire des projets d'avenir. Au resto, il est facile de voir la différence entre de jeunes amoureux (peu importe leur âge) et un couple résigné. Ne dit-on pas d'ailleurs que les amoureux sont seuls au monde? Accorder toute son attention à l'autre, sans partage, constitue pour nombre de personnes une véritable preuve d'amour, parfois même la seule. Que ce soit lors d'un repas au restaurant, d'une promenade main dans la main, d'un apéro au retour du travail ou en préparant un repas, l'essentiel pour certaines personnes est de ressentir que les deux partenaires sont sur la même longueur d'onde... pendant au moins quelques minutes. C'est ce que j'appelle des «moments suspendus».

Être ensemble signifie être réellement ensemble, sans rien faire d'autre, comme lire son journal, regarder la télé du coin de l'œil, être sur sa tablette ou surveiller son portable. Être dans la même pièce est insuffisant si les deux partenaires ne se donnent pas une attention soutenue et exclusive. Cela ne veut pas nécessairement dire qu'il faut se regarder profondément et longuement dans les yeux, mais plutôt entreprendre une activité qui permet de créer un sentiment d'unité conjugale. Ce qui se passe alors sur le plan émotionnel est plus important que l'activité en elle-même.

Être ensemble implique également des dialogues de qualité, des dialogues intimes. Partager ses expériences personnelles, divulguer ses pensées profondes, exprimer des sentiments positifs avec chaleur et affection, sans s'interrompre l'un l'autre: voilà une excellente manière d'accumuler des dépôts dans la banque d'amour du partenaire dont les moments de qualité est le langage d'amour maternel. Pour le psychologue Gary Chapman, «s'engager dans un dialogue de qualité n'est pas seulement écouter avec bienveillance, mais aussi accepter de s'ouvrir à l'autre». C'est ce qu'on appelle l'intimité: se mettre à nu non seulement physiquement, mais aussi émotivement.

Pour augmenter vos moments de qualité, fermez le téléviseur.

Plusieurs de mes clientes reprochent à leur partenaire de ne pas réellement les écouter lorsqu'elles partagent avec lui leurs sentiments ou leurs préoccupations. Celui-ci, en toute bonne foi et par amour, n'écoute que pour proposer des solutions. Il n'a pas compris que sa femme voulait «juste être entendue» et, si possible, comprise. La majorité des femmes recherchent davantage la compassion que des solutions, solutions qu'elles sont capables de trouver par elles-mêmes. Les hommes qui présentent des solutions au désir de compassion de leur femme se font souvent dire: «Mais tu n'as rien compris!» Et elles ont raison.

Apprendre à écouter le langage amoureux de l'autre est aussi difficile qu'apprendre une langue étrangère. Pour accélérer cet apprentissage, voici cinq stratégies efficaces.

1. Maintenir un contact visuel avec votre conjoint lorsqu'il parle.
2. Ne rien faire d'autre en l'écoutant.
3. Être à l'affût de ses sentiments.
4. Observer le langage corporel de votre partenaire.
5. Attendre qu'il ait fini de parler avant de réagir.

Nous pensons trois fois plus vite que nous parlons. C'est pourquoi les gens interrompent fréquemment le discours de celui qui parle pour communiquer leurs réactions. Un moment de qualité s'exprime par une écoute réellement attentive.

Le langage des cadeaux

On se rappelle tous avec plaisir ou nostalgie nos anniversaires d'enfants ou la fête de Noël, journées où nous recevions nombre de cadeaux. Dans toutes les cultures, les cadeaux font partie intégrante des relations humaines. Même les animaux utilisent les cadeaux comme moyen de séduction (généralement de la nourriture). Offrir des cadeaux est une expression fondamentale de l'amitié et de l'amour, peu importe les cultures. Chaque fois que vous regardez les cadeaux que vous avez reçus de vos parents ou de vos amis ou, à plus forte raison, de votre amoureux, vous vous dites : « Il a pensé à moi alors que je n'étais pas là ! »

La valeur marchande du cadeau n'a, en soi, que très peu d'importance. Ce qui importe, c'est qu'il est le symbole de l'expression de l'amour. Pour les adultes dont les plus beaux souvenirs d'affection sont reliés à leur anniversaire de naissance ou à des périodes d'échange de cadeaux, les cadeaux peuvent devenir leur langue d'amour maternelle. Ces personnes peuvent aussi apprécier les moments de qualité ou les paroles valorisantes, mais pour elles, les cadeaux sont des symboles « visibles » de l'amour que l'on ressent pour elles. C'est pourquoi l'oubli de souligner par un cadeau l'anniversaire d'une personne peut être perçu comme une preuve de non-amour ou de désintéressement. « Avant, tu me faisais régulièrement des surprises ! »

Les personnes sensibles aux cadeaux ne regardent pas le prix payé (l'amour ne s'achète pas). Pour elles, ce qui compte, c'est l'intention de faire plaisir. C'est pourquoi elles apprécient les cadeaux achetés, confectionnés ou même trouvés, quels qu'ils soient.

> Une présence chaleureuse est le plus beau des cadeaux que l'on peut faire à son partenaire.

Rapporter une fleur cueillie le long du chemin fera autant plaisir qu'un bouquet acheté chez le fleuriste, car ce geste signifie : « Tu habites mes pensées. » Nul besoin, non plus, d'attendre la Saint-Valentin pour faire une surprise à votre conjoint... si vous voulez que votre partenaire fasse un dépôt d'autant plus élevé dans son compte d'épargne émotif pour vous. Même si vous êtes économe, rappelez-vous qu'exprimer votre amour dans le langage d'amour privilégié par votre conjointe, c'est faire un investissement rentable à long terme. Un cadeau ne constitue pas une dépense, mais bien une preuve visible que l'autre est important pour nous et un investissement dans la relation.

Vous ne savez pas quoi offrir à votre partenaire ? Mettez en application la stratégie que m'a un jour confiée l'un de mes clients :

> Avant, je ne savais jamais ce qui pouvait faire plaisir à ma femme. Puis un jour, j'ai eu l'idée de l'accompagner au centre commercial (malgré ma réticence à aller dans les magasins) et de prendre en

note, à son insu, tous les objets (bijoux, objets, vêtements) devant lesquels elle s'extasiait. En un seul après-midi, j'ai accumulé suffisamment d'idées de cadeaux à lui faire pour le reste de l'année. Elle se demande encore aujourd'hui comment j'ai pu faire pour «deviner» ce qu'elle désirait. Je peux vous confirmer que ces deux heures ont été l'un des meilleurs investissements que j'ai faits pour la paix de mon couple.

Il existe un cadeau qui surpasse de beaucoup tous les cadeaux du monde, même les plus chers: votre présence. Le fait d'être totalement présent lorsque l'autre en ressent le besoin a une valeur inestimable pour celui ou celle qui parle le langage des cadeaux. Que ce soit à l'occasion d'un moment heureux, d'une maladie, de la perte d'un être cher, d'un accouchement, la présence physique et mentale constitue le plus efficace des cadeaux pour la personne qui associe les cadeaux à l'amour.

Le contact physique

Le toucher est, de tous les sens, le seul qui existe en dehors de la tête. C'est aussi le seul qui est réellement vital. Et l'on sait, depuis les travaux de René Spitz dans les années 50, qu'un enfant non stimulé physiquement et non caressé se développera beaucoup plus difficilement à tous les points de vue. Le toucher est une autre façon de communiquer son amour, car on ne touche généralement que les gens que l'on aime. L'étreinte des mains, les baisers, les enlacements et les relations sexuelles sont autant de manières de dire à son partenaire qu'on l'apprécie. Pour plusieurs hommes et plusieurs femmes, le toucher constitue la langue d'amour maternelle, surtout pour ceux et celles dont les parents exprimaient physiquement leur affection.

Lors de ma formation en sexologie au National Sex Forum de San Francisco, on affirmait que pour être en bonne santé émotive, il fallait recevoir ou donner trois *hug* (étreinte) par jour, et ce, avec trois personnes différentes, en dehors de tout contexte sexuel. Une étreinte calme et rassure, surtout si l'on prend le temps de respirer en même temps que l'on étreint les personnes que l'on aime: partenaire, enfants, parents, amis.

Même si la sexualité constitue une forme de contact amoureux, ces étreintes doivent aussi se faire à l'extérieur de rapports sexuels pour que celles-ci soient vraiment perçues comme des preuves d'amour. Sinon, vous risquez de vous faire dire: «Est-ce moi que tu aimes ou seulement mon corps?» Certains psychologues disent que la sexualité devrait constituer un sixième langage plutôt que d'être intégrée au contact physique.

Ne croyez pas que les différents contacts physiques et sexuels qui vous procurent du plaisir sont nécessairement les mêmes qui sont appréciés par votre conjoint. Vous devez, là aussi, vous mettre à son écoute pour découvrir sa «cartographie sensuelle personnelle», car lui seul sait ce qui le comble vraiment. Certains préfèrent des contacts légers, d'autres des poignes fermes. Entre un effleurement furtif de la main, une étreinte qui fait craquer la colonne vertébrale ou un massage du dos comme prélude à une relation amoureuse, il y a tout un monde à découvrir. Si vous avez découvert que le toucher est la langue d'amour maternelle de votre conjointe, blottissez-vous contre elle pour écouter la télévision; touchez-la avant de commencer à lui parler; massez-lui la nuque et les épaules lorsqu'elle est devant son ordinateur; brossez-lui les cheveux; embrassez-la avant de partir et en arrivant; prenez sa main en public. Bref, laissez libre cours à votre imagination.

À l'inverse, certaines personnes sont très réfractaires au contact physique, surtout celles qui ont vécu de la violence physique lors de leur enfance. Si c'est votre cas, mais que votre conjoint apprécie les contacts physiques, dites-vous qu'il est toujours possible

> **Toucher mon corps, c'est me toucher dans tout mon être.**
>
> GARY CHAPMAN

d'apprivoiser ces contacts… à votre rythme et avec l'aide de votre conjoint. Paradoxalement, le toucher peut aussi exprimer de la haine. Personne n'aime serrer une main froide ou recevoir une poussée, encore moins une gifle. Ces gestes seront encore plus dommageables pour les gens qui interprètent le toucher comme leur principale forme d'expression amoureuse.

Le corps est fait pour être touché, non pour être malmené, abusé, violenté ou violé. La façon dont vous touchez votre partenaire ou êtes touché par elle exprime les émotions que vous ressentez. Lui dire que vous l'aimez en regardant la télévision n'aura pas du tout la même portée émotive que si vous lui prenez les deux mains et la regardez dans les yeux. Si la langue amoureuse de votre partenaire est le toucher, vous ferez des miracles simplement en la prenant dans vos bras, même en silence, surtout si elle vit un chagrin ou un revers quelconque. Un contact vaut mille mots.

Les services rendus

Certaines personnes sont mal à l'aise avec le contact physique ; d'autres ignorent la valeur des cadeaux ; d'autres encore, surtout les personnes élevées par des parents critiques, n'ont pas appris à faire des compliments ; enfin, il y en a également qui apprécient peu les tête-à-tête. Pour certaines personnes, aimer signifie se mettre au service de l'autre afin de le décharger de toutes les petites tâches ennuyantes de la vie conjugale : dresser la table, passer l'aspirateur, laver la voiture, tondre la pelouse, faire la lessive et le repassage, sortir les ordures, changer les couches du bébé, nettoyer les toilettes, s'occuper de l'aménagement paysager, promener le chien, dépoussiérer les meubles, cuisiner, faire l'épicerie… la liste est sans fin. J'ai reçu un jour un couple où Monsieur n'avait jamais dit «Je t'aime» à sa partenaire après plus de vingt ans de vie commune, mais qui s'était toujours démené pour lui assurer le meilleur confort possible et sa sécurité financière. Mais sa femme privilégiait les paroles valorisantes, et c'est ce qui les avait amenés à me consulter, les deux ayant l'impression de ne plus être aimés par l'autre.

Tous ces petits services exigent de l'organisation, du temps, des efforts, de l'énergie et de la réflexion, sans oublier que quelques-unes de ces tâches, comme cuisiner et faire la lessive, demandent aussi certaines connaissances, sinon gare aux gaffes. Accomplis avec bonne humeur, et non forcés, tous ces services constituent de véritables expressions d'amour pour la personne qui nous tient à cœur. Chez nos grands-parents, la majorité des femmes s'occupaient de tous ces menus travaux ménagers, pour la plupart peu épanouissants, pendant que nos grands-pères travaillaient aux champs ou à l'usine, à la sueur de leur front. Ce qui pouvait les rendre heureux n'était pas nécessairement le travail effectué, mais le fait qu'ils se rendaient mutuellement service et que cela leur prouvait qu'ils avaient à cœur le bien-être de l'autre. Aujourd'hui, les choses ont bien changé : les deux partenaires travaillent à l'extérieur et les deux ont droit au repos du guerrier. Même si aujourd'hui le partage des tâches est plus équitable, celles-ci doivent être accomplies et demandent un engagement des deux partenaires.

J'ai reçu en thérapie de nombreux couples dans lesquels un partage inéquitable des travaux ménagers et éducatifs vidait peu à peu le réservoir d'amour de celui pour qui rendre des services était la langue d'amour maternelle. «Tu ne penses qu'à t'amuser (aller prendre une bière avec tes copains ou passer des heures au téléphone avec tes amies), et moi, parce que je dois m'occuper de tout, je n'ai plus aucun temps libre.» Et voici la réponse qui fuse généralement: «De toute façon, peu importe ce que je fais pour toi, ça ne fait jamais ton affaire.»

> Par amour, soyez
> les serviteurs les uns
> des autres.
>
> SAINT PAUL

Rares sont les couples où les deux partenaires parlent le même langage amoureux, mais cela arrive souvent lorsque la femme travaille à l'intérieur, et l'homme à l'extérieur. Si, pour l'un, rendre service c'est améliorer les conditions matérielles de vie en rapportant un plus gros salaire et en s'occupant d'entretenir la voiture, alors que pour l'autre c'est préparer les repas et aider les enfants à faire leurs devoirs, il est fort compréhensible qu'ils ne soient pas sur la même longueur d'onde sentimentale et qu'ils se reprochent de ne pas reconnaître ce que chacun fait pour l'autre.

Rendre service doit être un don volontaire. L'amour ne doit pas *exiger* un service. Sinon, vous risquez d'entendre votre partenaire vous dire: «J'ai tout fait (j'étouffais) pour toi et tu n'as aucune reconnaissance pour tout ce que j'ai fait.» Les couples heureux ne comptent pas ce que l'un ou l'autre fait ou ne fait pas; cette évaluation se retrouve plutôt chez les couples malheureux. Chacun fait ce qui doit être fait sans compter, même s'il existe un déséquilibre dans le partage des tâches. Si rendre service est la façon qu'utilise votre partenaire pour vous dire qu'il vous aime, je vous propose à son prochain anniversaire de lui offrir ce que j'appelle une «journée de servitude» comme cadeau. Une journée où vous lui serez totalement dévoué, où vous lui demanderez ce qu'elle veut et où vous comblerez le moindre de ses désirs ou caprices.

Découvrir la langue d'amour de votre partenaire

Très rares sont les couples dans lesquels les deux membres parlent la même langue. Si, pour l'un, le contact physique et la sexualité représentent la meilleure manifestation d'amour alors que, pour l'autre, ce sont les paroles valorisantes, on risque fort de voir baisser la fréquence des rapports sexuels si le premier communique de moins en moins verbalement son amour. Et la baisse des activités sexuelles n'incitera pas l'autre à continuer d'offrir des paroles affectueuses. Cercle vicieux ou cercle harmonieux ? À vous de choisir ! C'est pourquoi le couple doit devenir bilingue ou, mieux, multilingue.

Même lorsque les deux partenaires partagent la même langue, il se peut que chacun la parle avec un accent que ne comprendra pas l'autre. Le plus bel exemple est le langage des cadeaux. On peut facilement offrir à un homme un cadeau utile comme, par exemple, le plus récent outil qui lui facilitera les menus travaux menuisiers qu'il doit accomplir autour de la maison. Mais je ne crois pas que la femme sera très enthousiaste de recevoir le poêlon en fonte dernier modèle avec un bec verseur et dans lequel la nourriture ne colle pas. Je crois qu'elle sera beaucoup plus reconnaissante de recevoir un cadeau personnalisé, tel un forfait dans un spa ou même des fleurs.

Mais comment découvrir le langage amoureux privilégié de votre partenaire ? C'est très simple : il s'agit de l'écouter et d'écouter surtout les reproches qu'il vous fait. Ceux-ci sont une façon que peut utiliser votre femme pour vous dire comment elle voudrait être aimée. Cette manière de dire les choses est peut-être maladroite, mais si vous ne réagissez pas par la défensive, vous comprendrez que derrière l'expression d'une frustration de votre partenaire se cache un besoin à satisfaire.

De quoi se plaint surtout votre partenaire ?

- Vous ne faites jamais rien faire ensemble ? = Désir de moments d'intimité avec vous.
- Vous ne lui dites plus que vous l'aimez ? = Besoin de paroles valorisantes.
- Vous êtes un obsédé sexuel ? = Plus de sensualité que de génitalité (contacts physiques).

- Vous oubliez des dates importantes? = Besoin de sentir que vous pensez à elle quand elle n'est pas là (langage des cadeaux).
- Elle est toujours fatiguée? = Demande d'un meilleur partage des tâches ménagères (services rendus).

Comment vous manifeste-t-elle son amour?

- Elle vous demande comment a été votre journée ou à quoi vous pensez? = Partage d'intimité.
- Elle vous fait régulièrement des compliments? = Paroles valorisantes.
- Vous la trouvez «envahissante»? = Contacts physiques (et sexuels).
- Elle vous achète des vêtements lors de ses tournées de magasinage? = Cadeaux.
- La maison est toujours propre et les repas prêts? = Services rendus.

L'humain a tendance à faire aux autres ce qu'il voudrait qu'on lui fasse.

Qu'est-ce que vous avez changé depuis qu'elle vous connaît?

- Vous ne lui téléphonez plus du bureau plusieurs fois par jour comme au début? = Moments de qualité.
- Vous êtes de plus en plus taciturne? = Besoin de communication par la parole.
- Vous êtes moins passionné qu'au début? = Contacts physiques et sexuels.
- Vous ne lui faites plus jamais de surprises? = Langage des cadeaux.
- Vous en faites de moins en moins à la maison? = Services rendus.

Au lieu de réagir par la défensive à ce qui vous apparaît comme une attaque, voyez plutôt cette critique comme une occasion d'apprendre en quoi consiste le langage amoureux de votre partenaire. Il est très humain de réagir par une critique lorsque l'on se sent attaqué, mais la personne qui vous critique, c'est la femme qui vous aime et que vous aimez. Oui, elle devrait exprimer son besoin plutôt que sa frustration, mais c'est comme ça !

Si vous ne réussissez pas à découvrir la langue d'amour de votre partenaire, de deux choses l'une : soit sa banque d'amour est pleine parce que vous lui exprimez votre amour sous plusieurs formes, et elle vous le rend bien en ne critiquant jamais, soit sa banque d'amour est vide depuis tellement longtemps qu'elle ne sait plus de ce qui lui procure le sentiment d'être aimée. Dans ce cas, vous devez avoir l'impression que votre princesse charmante du début s'est transformée en véritable sorcière. Vous auriez alors avantage à parler les différentes langues d'amour et à observer à laquelle elle réagit le plus favorablement.

Pour être heureux en couple, il faut devenir bilingue et même polyglotte.

* * *

On peut, en tout temps et immédiatement, cesser de faire des retraits et recommencer à faire des dépôts dans la banque d'amour.

* * *

Chapitre 8

Séduire une femme et la garder

Je reçois régulièrement des demandes de journalistes pour des entrevues sur la séduction. La grande majorité d'entre eux s'attendent à ce que je leur livre des secrets infaillibles. Ils sont souvent déçus, car ces trucs miracles n'existent pas. Nous n'avons pas réellement de pouvoir sur qui nous attire et qui nous attirons. Pourtant, nombreux sont les hommes qui croient avoir découvert la formule magique pour attirer dans leurs bras toutes les femmes qu'ils désirent. De nombreux sites Internet s'y consacrent et sont prêts, moyennant rétribution, à nous révéler cette formule.

La séduction sur Internet

J'ai tapé le mot «séduction» sur Google et j'ai obtenu, en moins de 0,20 seconde, 19 300 000 résultats. Incroyable! Voici ce qui se dégage des dix premiers sites qui apparaissent sur la première page[1].

Tout d'abord, voici une liste de livres fortement suggérés:

- *Les secrets de la séduction en ligne.* Le premier guide qui explique aux hommes comment séduire les femmes sur les sites de rencontres.

---

1. Cette recherche a été faite il y a quelques années; il se peut donc que les résultats ne soient pas les mêmes aujourd'hui. N'empêche qu'aujourd'hui il y a encore une confusion entre séduction et drague.

- *Devenir le meilleur coup de sa vie.* 267 techniques simples et efficaces pour rendre votre copine accro au sexe et collectionner les *fuckfriends.*

- *Devenir un mâle dominant.* La gestuelle, les attitudes et les systèmes de pensée des mâles alpha sont décortiqués dans ce best-seller de la séduction.

- *Le manuel du séducteur.* Écrit par un collaborateur des grands PUA[2] étatsuniens, ce livre est la meilleure alternative francophone à la Mystery Method, soit un enchaînement de toutes les techniques nécessaires pour rapidement séduire une fille.

- *Comment récupérer son ex.* Ce succès de librairie propose une méthode étape par étape pour récupérer votre ex en quelques semaines.

- *Séduire CETTE fille.* Comment séduire LA fille que vous convoitez. Un guide pour sortir de la *friendzone,* séduire une collègue, une camarade…

- *Savoir parler aux femmes.*

- *Look : Bien s'habiller pour séduire.*

Certains de ces livres peuvent être téléchargés gratuitement.

Il y a aussi des vidéos :

- *Comment bien embrasser une fille.*

- *Comment gérer une* one nigth stand *avec une femme.*

- *Les cinq piliers de la séduction.*

---

2. PUA : PickUp Artiste. En référence à une téléréalité dans laquelle le pire dragueur est éliminé chaque semaine pour que ne reste que le Master PickUp Artist.

Puis, des cours de séduction :

- Apprenez à séduire avec des coachs de séduction.
- Toutes les questions à se poser pour bien choisir son relooking.
- Réussir son premier rendez-vous.
- Un programme de séduction rapide.

On y trouve aussi une boutique Séduction dans laquelle vous pouvez obtenir tous les produits possibles et imaginables susceptibles de vous rendre irrésistible et de vous aider à expédier votre partenaire au septième ciel à tout coup. Il y a des articles, des centaines d'articles. Un site en propose même trois cents. Et, finalement, des blogues où chacun partage ses expériences et demande ou donne des conseils. Certains s'improvisent psys ou deviennent moralisateurs. D'autres expliquent d'où leur est venue l'idée de leur pseudo plus ou moins érotique.

Tous ces sites sont agrémentés de photos très sexy de femmes et d'hommes dans des positions très suggestives. Et tous ne parlent que d'une chose : de techniques. Comme si, en utilisant la bonne technique, on était assuré d'un résultat positif. C'est très mal connaître la nature humaine et surtout la nature féminine, qui met davantage l'accent sur la qualité relationnelle que sur l'aspect technique ou mécanique. Les femmes ne sont pas des machines ni des objets que l'on peut manipuler à volonté pour la satisfaction de nos désirs. Parlant de désir, tous ces sites présentent des techniques de séduction, mais ne vont pas, ou très rarement, au-delà de la conquête. Que se passe-t-il une fois que, bien habillé, vous avez réussi à obtenir un premier rendez-vous, que vous avez charmé l'objet de votre désir, que vous l'avez embrassé et que vous avez réussi, le soir même ou à la troisième sortie, à ramener chez vous la soi-disant femme de vos rêves ? Qu'en est-il de l'engagement, de la dimension affective, de l'amour, quoi ? Ces sites se limitent à la sexualité comme si l'homme n'était qu'un pénis sur deux pattes, qu'il ne pensait qu'avec son « petit cerveau » et qu'il devait aller de conquête en conquête pour se prouver et prouver qu'il est un vrai mâle.

On pourrait rire de tout ça, sauf que ces sites font des affaires en or, surtout lorsqu'ils sont associés à des sites de rencontres. Ces derniers sont, après les sites sexuels, les plus rentables sur Internet. On peut en rire, mais ce qui est moins drôle, c'est que la majorité exploite la naïveté des hommes et des femmes en leur promettant la réalisation de tous leurs rêves et de tous leurs désirs, simplement en claquant des doigts ou plutôt en «cliquant ici»… et en inscrivant un numéro de carte de crédit.

Les hommes sains à la recherche d'une femme saine et préoccupés par l'égalité des sexes (au-delà des réelles différences biologiques et ataviques) ne peuvent que s'arracher les cheveux à la description de ces multiples stratégies présentant la femme comme une proie facile que n'importe quel dragueur (chasseur) peut piéger.

Sur cette première page – la deuxième ne semblait pas différente –, deux seuls sites apparaissent plus sérieux et plus scientifiques. Ceux de Wikipedia[3] et de Psycho-Ressources[4].

Le processus de séduction

Nous n'avons pas réellement de pouvoir sur qui nous attire et qui nous attirons. Il existe des aspects inconscients qui relèvent davantage de la physiologie que de la psychologie. Il nous est impossible d'aimer une femme si son odeur n'arrive pas à titiller nos papilles olfactives, ou de séduire une femme si elle ne le désire pas. Sur cette attirance, nous avons très peu de pouvoir ou de contrôle. Mais nous avons un certain pouvoir lorsque les phéromones[5] ont fait leurs effets et que la femme convoitée nous a manifesté son intérêt: nous avons le pouvoir d'entretenir et d'encourager le processus de séduction et d'aller au-delà ou, au contraire, de faire fuir, par ignorance ou maladresse, la femme qui s'intéresse à nous. Nous pouvons aussi rebrousser chemin lorsque nous nous rendons compte que malgré l'attirance olfactive inconsciente, visuelle et sexuelle, sa personnalité ne nous est pas compatible ou qu'au-delà du plumage le ramage s'avère inintéressant.

---

3. http://fr.wikipedia.org/wiki/S%C3%A9duction.

4. http://www.psycho-ressources.com/bibli/seduction.html.

5. Les phéromones sont une sécrétion externe produite par un animal, y compris l'animal humain; elles provoquent chez ses congénères des comportements spécifiques, comme attirer ou repousser.

Voici quelques données pertinentes en matière de séduction[6] :

- Séduire signifie « attirer l'autre à l'écart pour obtenir certaines faveurs ».

- Le processus de séduction comporte cinq étapes bien étudiées par les comportementalistes.

- Ces étapes peuvent être rapides (coup de foudre) ou réparties dans le temps (fréquentations).

- Ce processus est tantôt sous le contrôle de l'un, tantôt sous le contrôle de l'autre.

- En général, la femme est plutôt séductrice (et non pas passive) et contrôle les premières étapes ; l'homme est plutôt intrusif, et la poursuite de la relation vers l'engagement à long terme dépend souvent de lui.

- L'objectif est de trouver un rythme d'avancées et de retraits qui convient aux deux protagonistes. Il faut que le regard intrusif de l'homme rencontre les yeux réceptifs d'une femme, et vice versa, pour que les jeux de l'amour et du pouvoir puissent prendre place.

Il y a une différence fondamentale entre draguer et séduire. Le dragueur consulte les sites de séduction, arrive avec ses gros sabots et, contrairement aux promesses de ces sites, se retrouve généralement seul car il provoque chez la femme la réaction suivante : « S'il croit qu'il va me mettre dans son lit en deux temps trois mouvements… » Le séducteur sincère, lui, suscite plutôt le désir d'être mieux connu parce qu'il n'est pas seulement intéressé par le sexe, mais il l'est aussi et surtout par la personne. Si le séducteur et la séductrice tiennent compte des désirs de l'un et de l'autre, que les deux respectent leurs façons d'être et ont pour objectif commun de réaliser ensemble des projets de vie, les deux seront alors gagnants. Pour l'homme honnête qui a bien compris la nature de la femme et qui, en plus, vise de réels projets d'égalité, de partage et de complicité, la séduction devient alors un jeu délicieux.

---

6. Pour en savoir davantage : http://www.optionsante.com/yd_articles.php?mag = Qu % E9bec&edge = 15.

Quelques conseils pour séduire la femme de votre choix (et qui le veut bien)

Avec plus de 49 % de femmes vivant seules dans les grandes villes, il est relativement facile de trouver des femmes à séduire. Mais encore vous faut-il séduire et non draguer.

Soyez vous-même. Pour plaire, il faut de préférence se mettre en valeur, mais il faut surtout se présenter sous son vrai jour, et ce, le plus rapidement possible. Ne jouez pas à l'indépendant et ne cherchez pas à l'impressionner avec vos réussites. Dévoilez vos réelles opinions sur des sujets controversés, exprimez vos sensibilités, affirmez vos valeurs sur la famille, l'argent, la politique, la religion, parlez de vos projets, bref, révélez-vous. Sinon, ce sera de la fausse représentation. Combien d'hommes se sont montrés romantiques, communicateurs, attentifs, prévenants, affectueux, toujours en accord avec les propos de celle qu'ils voulaient séduire pour, une fois l'union consommée, se montrer, au grand désarroi de leur partenaire, tels qu'ils sont : introvertis, froids, distants, axés sur leur travail... À bas les masques !

Si vous ne réussissez pas à conserver l'intérêt d'une femme plus de quelques semaines, c'est probablement parce que les femmes que vous rencontrez perçoivent votre duplicité, votre fourberie, votre inauthenticité. La femme saine sera davantage séduite par l'homme sincère qui affirme ce qu'il est, exprime ses accords, mais aussi ses désaccords, et dit franchement ce qu'il veut, au risque de déplaire. L'homme qui ne s'assume pas attirera davantage de femmes à la féminité malsaine (– ou +). En étant lui-même un homme à la masculinité saine, il fera probablement fuir les égocentriques, les matérialistes, les ensorceleuses... Ce sera tant mieux pour lui, malgré tout le charme et la passion dont ces femmes sont capables. De toute façon, celles-ci ne vous méritent pas.

> Il ne s'agit pas de trouver *la* bonne personne, mais la bonne personne *pour soi.*
>
> Rose-Marie Charest

Aucune recherche scientifique n'a, à ce jour, prouvé que les agences ou sites de rencontres, malgré leur popularité, ont donné de meilleurs résultats que les rencontres fortuites. Ne croyez pas tout ce que ces sites vous promettent. Par contre, les recherches sur les couples heureux ont démontré qu'ils étaient formés d'hommes autonomes et heureux lorsque célibataires; des hommes qui ne cherchaient pas continuellement une partenaire de vie, mais qui profitaient de leur célibat pour réaliser leurs projets personnels, professionnels et autres.

Mettez l'accent sur ce que vous aimez. Il existe en tout homme un sauveur qui s'ignore. Si vous jouez au sauveur, vous vous retrouverez avec une femme victime qui, un jour ou l'autre, finira par devenir votre bourreau parce que vous ne l'aurez pas sauvée comme elle aurait voulu l'être. Donc, à moins de vouloir être malheureux toute votre vie, cessez de jouer au héros et dites ce que vous voulez d'une relation en mettant l'accent sur ce que vous aimez et sur ce que vous attendez d'une femme. Nommez aussi dès le départ ce que vous ne voulez pas ou n'accepterez jamais de la part d'une femme, par exemple les critiques continuelles, la jalousie, les calculs… Là aussi, ces exigences risquent de faire fuir un certain nombre de femmes, mais au moins celles qui resteront sauront à quoi s'en tenir. Vous aurez été transparent et honnête dès le départ. Les couples heureux à long terme sont formés de deux personnes exigeantes et qui font le moins de compromis possible.

Dites-lui, aussi et surtout, les activités que vous aimeriez partager avec elle et ce que vous appréciez chez elle. Rappelez-lui les bons moments que vous avez passés avec elle. Complimentez-la sur sa tenue, sa coiffure, ses bijoux. Avez-vous remarqué comment les femmes se complimentent entre elles? Elles se complimentent sur ce qu'elles sont, beaucoup plus que sur ce qu'elles font. Faites la même chose.

Écoutez-la et parlez-lui. La femme, vous le savez, est un être qui adore communiquer; c'est son jeu préféré. Mettez en pratique le titre d'un livre de Jacques Salomé, *Parle-moi… j'ai des choses à te dire.* Non seulement vous intéresser à ce qu'elle vous raconte constitue une stratégie de séduction efficace, mais c'est aussi une excellente façon de la re-connaître au fil des ans. Comme ça vous éviterez qu'un jour elle vous dise: «M'écoutes-tu quand je te parle?» ou «J'ai l'impression de parler à un mur».

Le plus important n'est pas de comprendre ce qu'elle vous dit, mais d'écouter, d'écouter et encore d'écouter. Elle vous fera entrer dans son monde subjectif fait d'émotivité et de spiritualité et aura l'impression que vous la comprenez parce que vous l'écoutez. Le plus drôle, c'est qu'à force d'écouter vous finirez probablement par comprendre. Du moins, c'est comme ça qu'on apprend une nouvelle langue. Au début, on ne comprend que des sons; puis, lentement, on reconnaît le sens des sons; finalement, on découvre les subtilités de la langue. Par exemple, le mot espagnol *mañana* ne signifie pas «demain», mais bien «pas maintenant» ou «plus tard». Il en va de même pour les femmes: «toujours» ne signifie pas tout à fait toujours, «jamais» non plus. Écoutez, et vous comprendrez mieux le langage des femmes qui vous trouveront charmant parce que vous savez si bien écouter, au contraire des autres qui ne font que pérorer. Écoutez, et vous saurez mieux lui parler.

Regardez-la. Et si, en plus d'écouter et de lui parler dans un langage qu'elle apprécie, vous la regardez dans les yeux (particulièrement dans l'œil gauche[7]), vous passerez paradoxalement pour un homme qui sait parler aux femmes et pour un véritable gentleman. Les femmes adorent être regardées; elles dépensent des fortunes pour y arriver et passent des heures devant leur miroir à vérifier l'impression qu'elles pourront produire, particulièrement à travers le regard des hommes.

Dans le règne animal, c'est plutôt le mâle qui se pare de toutes ses couleurs pour attirer l'attention des femelles. Chez les humains, c'est la femme qui se maquille, qui s'habille sexy, qui fait tout pour provoquer physiquement (et sexuellement) l'homme. Et elle le fait généralement de façon consciente et délibérée. Si vous soulignez sa beauté en la regardant dans les yeux, pas ailleurs, vous partez gagnant.

---

7. Selon Philippe Turchet, l'œil gauche est celui du cœur, celui de la séduction, alors que l'œil droit est celui de la raison, donc du contrôle. Pour en savoir davantage, lisez *Les codes inconscients de la séduction*, Montréal, Éditions de l'Homme, 2004. Ce livre est le résultat d'observations méthodiques sur le processus de séduction.

Une véritable écoute comporte six caractéristiques :

1. Vous maintenez un contact visuel avec la personne qui vous parle.
2. Vous ne faites rien d'autre lorsqu'elle vous parle.
3. Vous observez son langage corporel.
4. Vous écoutez les mots, mais aussi les intonations.
5. Vous attendez qu'elle ait terminé avant de parler à votre tour.
6. Vous restez en contact avec ce que vous ressentez en écoutant.

Avant de parler, vous pouvez aussi résumer le discours de l'autre en commençant par : «Si j'ai bien compris...»

Appréciez sa façon d'être. Pour séduire une femme, rien de plus efficace que de s'intéresser à ce qui l'intéresse. Porte-t-elle beaucoup de bijoux ? Parlez-lui de sa passion des bijoux. Les murs de son appartement sont-ils garnis de belles toiles ? Parlez de son penchant pour l'art. A-t-elle une collection de masques ? Dites-lui que vous aussi adorez voyager, si tel est le cas. Porte-t-elle des vêtements qui sortent de l'ordinaire ? Admirez son originalité, à la condition que cette admiration soit sincère. Observez sa personne et son environnement, et vous pourrez facilement trouver les sujets de conversation qui l'animeront et vous rendront intéressant.

Rappelez-vous que la femme vit selon les modes concret et rationnel (elle est même souvent plus matérialiste qu'on n'ose le croire), mais qu'elle préfère plutôt les modes émotif et spirituel. La relation est au centre de sa vie de femme, de professionnelle, de mère et d'amante. Mettez donc l'accent sur la qualité de la relation, sur l'échange de détails intimes, sur ce qui ne s'achète pas avec de l'argent, mais qui est l'essentiel de la vie, sans devenir trop «rose[8]».

Faites appel à son intelligence. Oui, la femme fait tout pour attirer l'attention sur elle en se parant de ses plus beaux atouts, mais ce n'est pas seulement son corps qu'elle offre, à moins d'avoir affaire à une vamp, c'est-à-dire une femme à la féminité malsaine + qui utilise ses charmes

---

8. L'homme rose représente, au Québec, l'antithèse du macho.

pour attraper les hommes, comme on attrape les mouches avec du miel. La femme saine se donne tout entière à qui sait l'apprécier. Elle offre son corps, son cœur et sa tête. Elle maquille son corps, son cœur est toujours prêt à aimer celui qui se comporte de manière aimable, mais c'est en s'adressant à son intelligence qu'on la séduit réellement.

Reconnaître ses connaissances, apprécier son jugement, partager et confronter vos opinions (politiques, culturelles, scientifiques, psychologiques...) avec les siennes sera plus efficace pour conquérir la femme de votre choix que seulement vous extasier sur sa beauté physique et lui donner l'impression du «Sois belle et tais-toi». Lui demander ce qu'elle pense de tel événement d'actualité, discuter avec elle d'un film qu'elle vient de voir, s'informer de ce qu'elle a aimé d'un livre, lui demander conseil sur vos achats, tout cela lui démontrera que vous n'êtes pas seulement intéressé à son corps, mais à sa personne entière. Les femmes, contrairement aux hommes, ne font pas de distinction entre leur corps et leur être, car elles fonctionnent de façon holistique.

Soyez diplomate. Par manque de tact, par des propos trop directement intimes ou par inattention, des hommes ont saboté des relations qui auraient pu devenir de belles histoires d'amour. Les femmes ont tendance à prendre mille détours et à user de subtilités pour transmettre des messages. Être diplomate signifie développer la capacité de lire entre les lignes et de déchiffrer les messages codés.

Certains messages peuvent facilement être décodés, comme dans l'exemple du couple en voiture. Madame dit: «Veux-tu t'arrêter pour boire ou manger quelque chose?» Comme c'est lui qui conduit et qu'il n'a ni faim ni soif, il répond «Non» et continue sa route. Arrivé à destination, il ne comprend pas que sa compagne le boude. Il n'a pas pensé qu'à son tour il aurait pu avoir une attention pour elle et lui demander si elle, elle avait faim ou soif.

D'autres insinuations sont plus complexes, comme dans l'exemple mis en scène par l'humoriste québécois Pierre Légaré:

«Pourquoi me parles-tu de Josée depuis une demi-heure?»

«Bien, vois-tu, Josée a des problèmes de communication avec son mari. Quand elle essaie de lui en parler, ça n'a pas l'air de l'intéresser. Alors, elle utilise des moyens détournés pour ramener le sujet dans la conversation, mais lui ne se rend pas compte du tout de ce qu'elle essaie de faire. »

(Après un moment d'hésitation) « Est-ce que je peux faire quelque chose pour Josée ? »

L'homme mis en scène par Pierre Légaré ne comprend pas que ce commentaire s'adresse à lui.

Dans ces exemples, l'homme pourrait croire que la femme cherche à le manipuler en faisant ainsi des détours, ou qu'elle le sous-estime, mais en fait elle ne veut pas le brusquer ou le confronter ; elle le fait par égard pour lui. L'homme pourrait dire qu'elle fait exprès pour compliquer les choses, mais en réalité on pourrait lui rétorquer qu'il ne fait pas suffisamment attention à ce qu'elle dit. Il n'est donc pas en mesure de comprendre les subtilités du message. On constate facilement ces différences de communication lorsque des petits garçons et des petites filles jouent ensemble. Le garçon dira « Donne-moi ça ! » et prendra le jouet des mains de l'autre enfant, alors que la petite fille demandera : « Est-ce que tu veux me prêter ton jouet ? » Autre exemple : le garçon dira « On va jouer à tel jeu, et c'est moi qui serai le chef » alors que la petite fille proposera : « Que diriez-vous de jouer à tel jeu ? Qui veut être le chef ? »

Les femmes, entre elles, utilisent souvent des façons indirectes pour obtenir ce qu'elles veulent ou dire les choses de façon à ne pas blesser la susceptibilité de l'autre. En retour, elles s'attendent, en toute légitimité, à ce que les autres fassent de même avec elles. L'homme qui se veut heureux aurait donc avantage à être moins « directif », certaines diraient moins autoritaire ou paternaliste.

Utilisez les mots magiques. « S'il vous plaît » et « Merci » sont deux formules de politesse que toutes nos mères voulaient qu'on utilise. Ces expressions démontrent notre savoir-vivre et notre civisme. Ce sont aussi des mots qui nous ouvrent bien des portes et qui entretiennent l'harmonie relationnelle. Mais lorsqu'il est question de relations amoureuses, ces mots peuvent s'accompagner de mots « magiques » comme : « S'il te plaît, ma chérie, voudrais-tu... » ou « Merci beaucoup, mon amour, tu es vraiment gentille ».

Je ne pensais jamais avoir à écrire ce qui précède, mais lorsque j'observe le comportement de certains hommes, on dirait que leur partenaire est à leur service et qu'elle ne mérite aucune considération ni aucune estime pour tout ce qu'elle peut faire pour lui. Comme si tout lui était dû. Ce qui me déconcerte le plus, c'est lorsque, en thérapie ou dans ma vie quotidienne, un homme désigne sa femme en disant «Elle». «Elle» est pourtant juste à côté de lui et «Elle» a un prénom. Le prénom est ce qu'il y a de plus personnel et de plus intime pour chacun d'entre nous. C'est le mot magique le plus puissant: dire le prénom de la personne que l'on aime avec tendresse et amour est un vrai «Sésame, ouvre-toi»! L'intonation utilisée pour dire le nom de la personne signe le respect que l'on a ou non pour elle. Et la puissance de ce mot magique est multipliée si, par exemple, vous dites «Anne, ma chérie, que dirais-tu de…». Ça coûte très peu et ça rapporte énormément.

Soignez votre apparence. « M. Dallaire, j'aimerais que vous disiez à mon partenaire de prendre sa douche plus souvent», me demanda un jour une cliente. Au cas où vous ne le sauriez pas, les femmes ont un odorat de deux à dix fois plus développé que celui des hommes, particulièrement lors de la période du mois où elles sont sexuellement le plus disponibles et durant leur grossesse. D'où l'importance de soigner votre odeur corporelle. Les femmes accordent beaucoup d'attention à l'hygiène et particulièrement aux petits détails: ongles mal coupés, barbe mal rasée, vêtements non repassés, souliers défraîchis, qualité de vos bijoux, poussières dans votre appartement, odeur de votre salle de bains, éclaboussures dans le miroir, parfum… Une journaliste, un jour, m'a demandé, hors entrevue, comment elle pourrait dire à un amoureux potentiel de ne pas mettre autant de lotion après-rasage dont elle n'aimait pas le parfum.

Dès la rencontre initiale, la femme vous scrute, vous analyse et vous cote. Elle remarque votre allure générale, votre démarche, vos vêtements, la façon dont vous croisez vos bras ou vos jambes… Une amie m'a déjà dit qu'elle vérifiait la qualité d'un homme à l'état de ses chaussures et à la propreté de ses ongles. Demandez aux femmes de votre entourage ce qu'elles remarquent en premier chez un homme, et vous verrez que ce n'est pas tout à fait la même chose que vous. De plus, après une première rencontre, elle se rappellera la couleur de vos yeux et de vos cheveux, ainsi que la griffe et la couleur de vos vêtements, ce que je doute que vous soyez capable de faire.

Quelques conseils pour garder la femme de votre vie

Il est relativement facile de trouver des femmes à séduire. Mais entre séduire une femme et investir avec elle pour la vie, il y a un grand pas que peu réussissent à franchir si l'on se fie aux statistiques sur le mariage et le divorce. Selon l'Institut de la statistique du Québec, en 2016[9], le Québec possédait le plus bas taux de mariage de tous les pays occidentaux, soit 2,6 pour 1 000 habitants. À titre de comparaison, la France a un taux de 3,5 en 2014, la Belgique, 3,6 en 2014, le Canada, 4,4 en 2008, et les États-Unis, pays plus conservateur, 7,4. En Suisse, le taux évolue de 3 à 6,5 selon les régions en 2014. Il était de 10,7 au Québec en 1940, de 8,7 en 1972 et il n'a cessé de décroître depuis ce temps, comme il décroît aussi dans nombre de pays pour lesquels nous possédons des statistiques. L'âge du premier mariage est passé, pour les femmes, de 21 ans en 1970 à 31,9 ans ; celui des hommes, de 23 ans à 33,4 ans[10].

Quant au taux de divorce, vous le savez, il se situe à près de 50 %, dans les pays occidentaux, pour les couples mariés depuis 1970. Selon certaines estimations, si la tendance se maintient, 67 % des couples mariés depuis 1990 seront divorcés en 2030. Pour les couples vivant en cohabitation, et dont le Québec est aussi le champion mondial (37,8 % des couples comparativement à 14,4 % pour le reste du Canada), il faut majorer ce taux d'un minimum de 10 à 15 %. Les recherches nous démontrent que le divorce est demandé dans une proportion de 20 % seulement par les hommes. C'est donc dire le pouvoir des femmes sur la poursuite ou non de la vie commune et la stabilité du choix des hommes. Les femmes divorcent ou se séparent parce qu'elles n'ont pas obtenu ce qu'elles espéraient de leur relation. Leur prince, au lieu de se transformer en roi et faire d'elles une reine, est redevenu crapeau.

Ce sont plus souvent les femmes que les hommes qui demandent le divorce ou la séparation, mais on ne peut leur en attribuer la seule responsabilité. Des hommes ont tout fait, consciemment ou inconsciemment, pour pousser leur femme à vouloir mettre un terme à la relation. Ils l'ont fait en ne respectant pas les stratégies décrites ci-dessous.

---

9. http://www.stat.gouv.qc.ca/statistiques/population-demographie/mariages-divorces/501a.htm.

10. http://www.stat.gouv.qc.ca/statistiques/population-demographie/bulletins/coupdoeil-no57.pdf.

Aimez la femme que vous avez choisie. Un proverbe arabe dit aux femmes : « N'épouse pas l'homme que tu aimes, aime l'homme que tu as épousé. » L'inverse est aussi vrai. Sauf que j'ajouterais une nuance : « Aime la femme que tu as épousée et toutes celles que tu découvriras en elle. » Car, peu importe la femme que vous choisirez, elle changera beaucoup plus que vous ne pourrez le faire. Cessez de croire qu'elle restera toujours la jeune femme que vous avez rencontrée et qu'elle vous rendra heureux pour le reste de votre vie. Vous rêvez !

> **La passion est une impulsion, l'amour est une décision.**
>
> Scott Peck

Je vous rappelle que le couple n'est pas fait pour rendre heureux ; il est plutôt un creuset pour générer des crises et des confrontations, tout simplement parce qu'il est formé de deux personnes différentes, même si aimantes et de bonne foi. Que ces crises soient des crises de croissance ou de décroissance dépend en grande partie de vous. Cette croissance ne sera possible que si, au-delà de vos désaccords, vous continuez à respecter la femme que vous avez aimée suffisamment pour l'épouser (ou vivre avec elle) et en faire la mère de vos enfants.

Arrêtez de vous défendre. Je sais, messieurs, qu'après le sexe vous aspirez à la paix. Il y a même une expression qui résume votre attente : le repos du guerrier. Mais, encore là, cessez de rêver : votre partenaire ne vous laissera jamais en paix, car elle veut vivre intensément avec vous ; elle veut approfondir l'intimité, vous connaître à fond, partager des projets avec vous. Vous aviez cru qu'une fois trouvée la femme de votre vie vous pourriez viser d'autres objectifs professionnels, sociaux ou personnels. Toutefois, elle, elle espère qu'au contraire la vraie vie va enfin commencer avec vous.

Vivre avec une femme, c'est accepter qu'elle entre dans votre territoire sans avoir, au préalable, frappé à la porte. C'est aussi accepter qu'elle vous donne des conseils non sollicités et qu'elle fasse des commentaires sur votre façon de vous habiller ou de vous comporter (avec les enfants, les amis, les voisins, vos parents et les siens). Si vous vous enfermez dans votre « caverne », si vous bougonnez lorsqu'elle vous critique, si vous refusez d'entendre ses états d'âme, soyez assuré qu'elle vous critiquera de plus en plus et qu'elle vous dira que vous n'êtes plus l'homme qu'elle avait rencontré. Elle deviendra de plus en plus sensible aux attentions d'un autre homme.

Si, au contraire, vous restez ouvert, si vous acceptez de l'entendre (à défaut de mettre ses conseils en pratique), si vous êtes réceptif lorsqu'elle vient vers vous, si vous apprenez à désamorcer une discussion lorsque vous avez l'impression d'être critiqué ou pris en faute, il se peut qu'elle vous rende au centuple les efforts que vous faites.

Exprimez-vous! Exprimez vos pensées, vos projets, vos préoccupations, vos émotions. Essayez de penser «à voix haute» au lieu de ne communiquer que le résultat de votre réflexion. Le silence est la pire des violences psychologiques qu'un homme, à son insu, puisse faire à sa partenaire. Lorsqu'une femme voit son partenaire pensif, lorsqu'elle le sent préoccupé, elle voudrait qu'il partage ses «secrets» avec elle. Les femmes se racontent continuellement des secrets entre elles, sur le ton de la confidence, et c'est comme ça qu'elles entretiennent leur intimité et leur amitié. Faites de votre femme votre meilleure amie (je n'ai pas dit colocataire). Une amie, c'est quelqu'un à qui l'on confie tout, sans fausse pudeur.

Les couples heureux à long terme ont évolué de la passion à l'amour, puis à l'amitié. L'amitié est un sentiment beaucoup plus stable que l'amour, parce qu'il est basé sur la connaissance l'un de l'autre, et plus épanouissant que la passion, laquelle n'est faite que d'intensité sensorielle et émotive passagère. Les couples heureux à long terme sont composés de deux amis qui continuent d'entretenir des projets et de faire l'amour ensemble. Comment devient-on amis? En écoutant, en ne jugeant pas, en acceptant l'autre comme *autre*, en n'essayant pas de le changer et, surtout, en parlant, en s'intéressant à lui et à ses projets, en mettant l'accent sur les compatibilités et non sur les différences, en mettant en commun des projets. Pour cela, messieurs, il vous faut prendre le risque de vous mettre à nu.

Donnez-lui des marques d'affection. J'ai un jour écouté la conférence d'un ex-dépendant émotif raconter tout ce qu'il avait fait pour séduire une de ses partenaires et conserver par la suite son amour. Il était toujours autour d'elle et lui offrait de multiples cadeaux hors de prix: vêtements, bijoux, bague, etc. Quand elle l'a quitté, parce qu'elle étouffait, elle a tout emporté, y compris la bague. Quand je vous dis de donner des marques d'affection à votre partenaire, je ne vous dis pas d'acheter son amour, de vous ruiner pour elle ou de devenir dépendant. Vous avez même avantage à garder un certain jardin secret. Être affectif ou affectueux signifie, par exemple, exprimer vos sentiments, manifester votre plaisir d'être avec elle, être tendre et chaleureux, dire des mots magiques.

Une multitude de petites marques d'attention sera beaucoup plus appréciée qu'une grosse surprise, même si la réaction risque d'être plus enthousiaste. Les femmes ne calculent pas comme les hommes. Offrez à votre partenaire deux douzaines de roses rouges lors de la Saint-Valentin, et vous obtiendrez un point amoureux ou érotique. Offrez-lui vingt-quatre fois une fleur, différente à chaque occasion, et vous obtiendrez vingt-quatre points amoureux ou érotiques. Chaque fois qu'elle recevra sa fleur, elle saura qu'elle était dans vos pensées, donc que vous tenez à elle. Être attentif signifie aussi l'observer suffisamment pour savoir si elle aime bien les fleurs, lesquelles sont ses favorites, ou si elle ne préférerait pas autre chose, par exemple des petits bijoux. Si vous l'écoutez vraiment, elle vous enverra des indices, subtils certes, mais des indices. La femme teste son homme pour vérifier s'il s'intéresse à elle et s'il l'écoute vraiment. Et n'oubliez pas de l'étreindre et de lui dire «Je t'aime» en lui offrant votre présent. Ça s'appelle une valeur ajoutée. Vous pouvez aussi lui écrire des petits mots d'amour que vous afficherez un peu partout.

C'est la pensée qui compte, pas le coût du cadeau.

Être affectueux signifie également être attentif aux petites modifications qu'elle apporte à sa personne : une coiffure différente, un nouveau bijou, un parfum, un nouvel agencement de ses vêtements… Je sais que ce n'est pas facile de remarquer tous ces petits détails devant lesquels sa sœur, sa mère et sa meilleure amie s'exclameront. Mais, là aussi, c'est une façon de lui dire qu'elle est importante pour vous.

Désamorcez les tensions! Tous les couples se disputent pour les mêmes raisons et en utilisant la même dynamique[11] inconsciente. L'amour et la bonne foi n'ont rien à y voir et ne sont généralement pas en cause, comme j'ai eu maintes fois l'occasion de l'observer en consultation. Les

---

11. Lire à ce sujet: *Cartographie d'une dispute de couple*, publié chez Jouvence, Genève, en 2009.

deux font leur possible et croient que tout s'arrangerait rapidement si l'autre voulait bien écouter et se ranger à son point de vue. Mais chacun tient à son idée, particulièrement l'homme qui entre alors dans une argumentation rationnelle parce qu'il est désarçonné sur le plan émotif. Ce qui amène sa partenaire à lui dire : « C'est ça, tu veux toujours avoir le dernier mot. Tu veux encore avoir raison. Tu ne comprendras jamais rien. »

Tout comme il existe des mots magiques, il existe aussi des stratégies magiques : le désamorçage est probablement la plus efficace. Et comment désamorce-t-on une situation ? En donnant raison à l'autre, en avouant ses torts, en demandant pardon ou en s'excusant, en utilisant l'humour, en ne prenant pas sur soi les réactions de l'autre et, souvent, en écoutant tout simplement jusqu'au bout ce que l'autre nous dit. Il faut parfois accepter de perdre une bataille (une argumentation) pour gagner la guerre (l'amour). Messieurs, vous devez mettre de côté ce que Fritz Perls, le père de la Gestalt-thérapie, appelle le *bullshitter*[12], soit l'ego, d'où l'orgueil. Là où l'orgueil existe, il y a peu de place pour l'amour véritable.

Entretenez des projets de couple. Les hommes ont plus que les femmes tendance à ne pas changer ce qui fonctionne bien et à s'enliser dans des routines, surtout si celles-ci ont été profitables par le passé. Or, les femmes, êtres de changement par excellence, adorent la nouveauté et les surprises. C'est pourquoi, si vous voulez vivre longtemps avec votre partenaire, il vous faut élaborer des projets avec elle. Des projets à court terme (un à trois ans), à moyen terme (trois à dix ans) et à long terme (plus de dix ans). Où irez-vous pour vos prochaines vacances ? Quand ajouterez-vous cette fameuse pièce qui manque à la maison ? Que ferez-vous lors de votre retraite ? Un couple est constitué de deux personnes qui rêvent ensemble. Le couple est en soi un projet pour réaliser des projets de couple, des projets personnels et des projets familiaux. Justement, à quand le premier ou le prochain enfant ? Les couples qui se projettent dans un avenir rempli de projets augmentent leurs probabilités de vivre plus longtemps ensemble et plus heureux.

> Ne laissez pas une petite dispute ruiner une grande amitié.
>
> DALAÏ LAMA

---

12. Littéralement, le « faiseur de conneries », ou le baratineur.

Un couple qui n'a pas de projets ne survit pas.

Soyez sensuel. Les hommes vont droit au but, pas les femmes. Elles adorent que vous les fassiez languir, que vous les intriguiez, que vous stimuliez leur désir. La façon d'arriver au but est souvent beaucoup plus importante pour elles que le but en lui-même. Dites à votre femme que ce soir vous voulez faire l'amour, et vous risquez fort de vous endormir sur votre désir. Dites-lui en partant le matin que vous avez hâte de revenir et de passer une soirée agréable avec elle, et vous augmenterez les probabilités de satisfaire votre désir légitime. Et pourquoi ne pas revenir avec une nouvelle fleur? Elle ne sera pas dupe, mais au moins elle appréciera le «détour».

Lorsqu'elle travaille à l'ordinateur ou qu'elle cuisine, passez près d'elle, frôlez-la sans la toucher, flattez-lui le dos ou les cheveux, dites-lui que vous la trouvez belle, et ce, tout en observant si elle est réceptive ou non à ces petites attentions. Approchez-vous d'elle et prenez-lui les seins ou les fesses, et vous vous ferez traiter d'obsédé sexuel: «Tu ne penses qu'à ça.» Paradoxalement, elle sera de moins en moins réceptive, même lorsque votre intention sera seulement de lui manifester un peu d'attention et de la toucher sans aucune arrière-pensée. Cessez d'être linéaire et de répéter continuellement les mêmes gestes.

Retenez ceci: l'homme est plus génital que la femme, laquelle est plus sensuelle. Celle-ci a moins besoin d'orgasmes que l'homme pour apprécier un rapport sexuel. La génitalité et la sensualité sont le recto et le verso de la sexualité. Ce que la majorité des hommes ne savent pas toutefois, c'est que la génitalité de la femme est sans limites, contrairement à la leur. Alors, messieurs, plus vous serez sensuels et sentimentaux, plus vous risquez d'être gagnants, et plus votre sexualité et celle de votre couple s'enrichiront.

La femme s'épanouit sexuellement dans un contexte amoureux.

Montrez votre sensibilité. Oui, mais pas trop. Que l'on soit homme ou femme, reconnaître sa sensibilité, c'est reconnaître son humanité et, paradoxalement, c'est se renforcer. Reconnaître que l'on peut se sentir fragile, désemparé, triste, apeuré parfois est tout simplement humain. Avoir besoin de l'autre n'est pas un signe de faiblesse, encore moins un signe de soumission. Faire appel à l'autre, c'est lui donner l'occasion de se rendre utile, de se sentir efficace et important. Si les hommes acceptaient plus facilement de demander de l'aide, leur taux de suicide baisserait. Contrairement à la croyance populaire, le sexe fort, c'est le sexe féminin[13], malgré son apparence de fragilité.

Quand je précise «Oui, mais pas trop», je veux dire que vous pouvez laisser aller vos larmes, ou du moins avoir les yeux dans l'eau, devant un film ou une situation qui vous émeut, mais pas pleurer pour un rien. Oui, je veux bien que l'homme exprime davantage ses émotions, mais n'oubliez pas que l'expression d'une émotion, peu importe laquelle, trace un sentier neurologique dans le cerveau et rend plus sensibles les neurones associés à cette émotion. Soyez enthousiaste, soyez émotif, mais ne devenez pas une émotion sur deux pattes. Et exprimez davantage vos émotions positives.

Soyez le père de vos enfants. D'après certaines observations, plus de 30 % des pères abandonnent leur rôle de père et confient la responsabilité de l'éducation de leurs jeunes enfants à la mère. Ce pourcentage est encore plus élevé dans les cas de séparation où la garde des enfants est laissée à la mère dans plus de 80 % des cas. La paternité a plutôt mauvaise presse. Il faudrait faire mentir les conclusions du sociologue Germain Dulac[14] qui démontre que les études faites sur la paternité l'ont été autour de quatre paradigmes négatifs : la passivité, l'absence, la violence et l'abus. On commence à peine à étudier la paternité pour elle-même, ses caractéristiques intrinsèques, ses apports à l'éducation et à l'évolution des enfants ou les façons de mieux l'exercer.

Il faudrait faire mentir ces statistiques, car c'est dans le domaine de l'éducation des enfants que l'homme peut le plus rapidement accumuler des points amoureux en stimulant l'admiration et le respect de sa partenaire. L'engagement familial est l'un des cinq besoins conjugaux de la

---

13. Les preuves en sont multiples : espérance de vie plus longue, meilleur système immunitaire, meilleure résistance au froid et à la douleur, meilleur équilibre de ses deux hémisphères cérébraux, cerveau multifonctionnel, maturité sexuelle plus précoce, plus grande acuité des sens (sauf la vision diurne), centre de la parole plus développé, plus grande dextérité manuelle, plus grand potentiel sexuel, capacité de récupération plus grande, et j'en passe.

14. http://www.centrejeunessedemontreal.qc.ca/pdf/cmulti/defi/defi_jeunesse_0006/paternite.htm.

femme. L'homme qui participe à la construction du nid familial, à son entretien (tâches ménagères) et aux soins des petits est assuré d'avoir une partenaire aimante, probablement pour la vie. Mais vous devez vous en occuper comme un homme, et reconnaître vos limites, et non pas vous soumettre aux directives de votre partenaire-mère.

Vous devez vous en occuper de telle sorte qu'elle sache qu'elle peut vous faire totalement confiance pour la sécurité des «ses» enfants, qu'elle peut prendre du temps pour récupérer et s'occuper d'elle, qu'elle peut partir un week-end chez une amie sans avoir à tout préparer avant de partir et téléphoner toutes les heures pour savoir si les enfants vont bien. Vous devez lui faire comprendre que ce sont aussi «vos» enfants, que vous les aimez et que vous ne ferez rien qui pourrait mettre leur santé ou leur vie en danger. Comprenez que l'enfant devient, pendant un certain temps, le centre de la vie d'une femme-mère, mais qu'elle n'a pas la science éducative infuse et que, tout comme elle, vous devez partager cette tâche pour apprendre à être parent.

> **Même la meilleure des mères ne peut faire un bon père.**
>
> Laura Doyle

Faites vos preuves en vous occupant vous-même des enfants en sa présence et aussi lors de ses absences au lieu de les confier à votre mère. Je connais malheureusement des hommes qui n'ont pas su profiter du plaisir d'être père[15] ; d'autres ont laissé leur femme s'interposer entre eux et «leurs» enfants. C'est l'enfant qui est toujours perdant, car le jeune en manque de père risque de manquer de re-pères ou, comme l'a écrit le psychanalyste Guy Corneau, d'être un enfant manqué[16]. Les filles souffrent aussi de l'absence du père, pas seulement les garçons.

Être mère constitue une mission biologique. Si, dans 92 % des espèces animales, le mâle se fout complètement de l'élevage des petits, il ne semble pas en être de même pour les 8 % qui restent et dont nous faisons partie. Il est même démontré que les familles dont le père est absent produisent

---

15. L'un des cinq principaux regrets des hommes en fin de vie est de ne pas avoir vu grandir leurs enfants: http://www.huffingtonpost.fr/elisha-goldstein-phd/les-cinq-plus-grands-regr_b_3938922.html.

16. *Père manquant, fils manqué*, Montréal, Éditions de l'Homme.

plus d'enfants ayant des problèmes socioaffectifs, scolaires ou comporte-mentaux (délinquance, gang de rue). L'enfant a donc besoin de son père non seulement pour l'amour que celui-ci peut lui prodiguer, mais aussi pour apprendre les règles nécessaires à une vie d'adulte responsable. Le père est là pour sécuriser l'enfant, mais également pour le séparer de la mère. C'est ce qui explique que l'enfant devient, chez les couples malsains, une source de conflits conjugaux. L'homme a donc avantage à prendre son rôle au sérieux, car c'est souvent dans le rapport avec les enfants que se joue l'avenir du couple. L'éducation de l'enfant et la gestion de l'argent sont les deux principales sources de conflits conjugaux avant, pendant et après le divorce.

Restez l'homme que vous êtes. Si vous saviez le nombre de fois où, dans mon bureau, une femme s'est adressée à son partenaire en lui disant : « J'aimerais ça que, parfois, tu te comportes comme un homme ! » Générale-ment, le motif de consultation est d'ordre sexuel. Ce à quoi la femme fai-sait alors référence, c'était au fait qu'elle ne savait plus qui était son partenaire, il n'était pas suffisamment affirmatif, il ne s'opposait jamais à elle, il n'exprimait jamais ses opinions et elle ne savait pas où étaient ses limites. Elle avait affaire à un « yes Mam' » et non à un homme qui se tient debout. Autant il peut exister des hommes manipulateurs, autocratiques et froids, autant il existe ce que le journaliste Serge Paquin appelle des hommes whippets[17], soit des hommes qui se laissent conduire par leur femme, donc toujours en mode réactif au lieu d'être proactifs.

Cet homme n'est plus un homme pour une femme et il est évident qu'elle sera déçue, qu'elle n'aura ni admiration ni désir pour lui et finira par le quitter, parce que réellement désenchantée. Autant la femme saine déteste les machos, autant l'homme rose ne l'allume pas.

> Femme désirée, femme désirante.
>
> DANIÈLE FLAUMENBAUM

Ce qu'une femme saine veut, c'est un homme sain. Un homme ca-pable d'exprimer ses accords et ses désaccords. Un homme qui ne s'écra-sera pas à la première difficulté et se retroussera les manches au besoin.

---

17. Paquin, Serge, *L'homme whippet*, Québec, Éditions JCL, 2004.

Un homme capable de lui dire : « Tu exagères, ma chérie », si tel est le cas. Un homme capable de garder son identité, même amoureux et marié. Un homme qui ne se mettra pas à genoux devant elle, sauf pour la demander en mariage. Un homme qui n'abandonnera pas ses goûts, ses amis, ses activités pour n'adopter que les siennes. Un homme capable de s'occuper de ses besoins personnels (faire la cuisine, entretenir une maison, s'occuper de son hygiène et de sa santé...). Un homme autonome[18] qui s'occupe aussi de sa croissance personnelle au lieu de s'asseoir devant la télé dès son travail terminé. Un homme capable de lui renvoyer une image d'elle-même positive et solide parce que lui-même est positif et solide. Un homme qu'elle peut admirer.

Un homme, pardi ! Pas un enfant dont elle doit prendre soin.

Le choix de l'homme heureux

Considérez la femme comme une proie sexuelle, et vous ne rencontrerez que des femmes faciles, des femmes victimes ou des femmes qui vous enverront paître. Faites de la fausse représentation en vous montrant plus fort que vous ne l'êtes et écrasez-vous devant votre partenaire une fois conquise, et vous vous retrouverez rapidement devant une mégère. Tenez-vous debout, restez l'homme sain que vous sentez en vous, faites-vous confiance, appliquez les quelques conseils ci-dessus pour séduire votre partenaire et entretenir une relation saine avec elle, et vous serez le plus heureux des hommes, même si parfois des différends éclatent et des crises surviennent.

---

18. Écoutez ce que Linda Lemay aimerait trouver chez son homme : https://www.youtube.com/watch?v = kWIup7jfisM.

Conclusion

Le bonheur conjugal

J'espère que ce livre aura su stimuler votre vie de couple et susciter un sain débat sur les relations homme-femme.

Aussi simpliste que cela puisse paraître, un couple est formé de deux personnes. La formule traditionnelle du mariage, 1 + 1 = 1, n'a plus cours aujourd'hui, tout simplement parce qu'il est fini le temps où deux personnes se sacrifiaient au nom du couple pour assurer leur survie et celle de leur progéniture. Le couple moderne est une association dans laquelle deux personnes égales travaillent à leur épanouissement et à celui de leurs enfants. Cette égalité ne peut se faire sans respect réciproque, lequel ne peut venir que de la connaissance, l'acceptation et l'admiration de la féminité *et* de la masculinité. Il sera impossible de vivre en harmonie aussi longtemps que la femme ne comprendra pas qu'au-delà des différences sexuelles l'homme est son meilleur ami, et que l'homme ne comprendra pas la même chose. Nous sommes «condamnés» à vivre ensemble, essayons donc de le faire du mieux possible en acceptant qu'il puisse exister deux langages, un langage féminin et un langage masculin, tous deux porteurs de sens.

Un excellent symbole du couple se trouve dans mon bureau: un damier sur lequel, d'un côté, j'ai disposé les douze pièces d'un jeu de dames et, de l'autre, les seize pièces d'un jeu d'échecs. Ou si vous préférez, un échiquier sur lequel, face à face, se retrouvent les pièces d'un jeu d'échecs et celles d'un jeu de dames. Peu importe, il est impossible de jouer à ces deux jeux en même temps.

La période de séduction et de lune de miel, laquelle dure rarement plus de deux ans, correspond à la découverte de quelqu'un qui désire jouer avec nous. Chacun installe donc tranquillement et de façon très égocentrique (pour ne pas dire narcissique) ses pièces du jeu, assuré que l'autre va jouer selon ses règles. Nous sommes dans l'euphorie et nous croyons que cet amour nouveau va durer éternellement. Nous savons que d'autres couples n'ont pas réussi, mais ce sera différent pour nous... Parce que, nous, nous nous aimons vraiment, du moins nous le croyons. Or, ces amoureux sont tout, sauf altruistes : c'est notre besoin d'aimer et surtout d'être aimés que nous voulons combler. Et nous nous unissons, espérant ainsi combler notre vide existentiel. Nous croyons être amoureux, mais c'est l'amour que nous aimons.

Avant le mariage, nous ne rêvons que de bonheur conjugal.

GARY CHAPMAN

Vient un jour où la réalité nous rattrape. Un jour où nous découvrons que l'autre ne semble pas vraiment connaître nos règles et qu'il n'est pas ce que nous avons imaginé. Le réveil est parfois brutal, parfois plus lent, mais nous finissons par nous accuser réciproquement de fausse représentation ou de s'accuser soi-même de naïveté. Nous nous retrouvons dans la réalité du couple, soit deux personnes qui ne jouent pas selon les mêmes règles et qui, contrairement à ce qu'elles pensaient, utilisent deux formes de langage. Commence alors une confrontation entre les besoins de l'homme et ceux de la femme, entre le jeu de dames et le jeu d'échecs. Vous le savez maintenant, la moitié des couples divorcent, plusieurs se résignent et seul quelques-uns réussissent à inventer un jeu nouveau à partir des règlements du jeu de dames et du jeu d'échecs. Ceux et celles qui démissionnent recommencent avec un deuxième joueur et échouent dans plus de 65 % des cas, et à plus de 75 % avec un troisième joueur. L'espoir, les illusions, la passion et le refus de la réalité les aveuglent.

Mes quarante ans de pratique en thérapie conjugale et mes quarante-cinq ans de vie à deux m'ont appris, pourtant, que ces deux joueurs veulent être heureux. Le problème n'est pas dans l'absence d'amour ou de bonne foi, à moins d'être un tricheur ou un manipulateur. Le problème réside surtout dans l'ignorance des différences entre les hommes et les femmes, dans l'ignorance des dynamiques inhérentes à la vie de couple et dans l'absence d'efforts pour cesser d'imposer ses règles et chercher plutôt à connaître les règles de l'autre joueur.

Le véritable amour n'est pas fait d'un coup de foudre et de sensations ou d'émotions intenses. Selon le psychiatre Scott Peck, auteur du livre *Le chemin le moins fréquenté*, la passion n'est pas de l'amour pour trois raisons :

1. La passion est une impulsion et ne repose pas sur une décision consciente. La preuve : il nous est impossible de décider de devenir amoureux malgré tous nos efforts.

2. La passion ne nécessite aucun effort : c'est une réaction instinctive qui pousse un homme et une femme l'un vers l'autre pour assurer la survie de l'espèce humaine.

3. La personne passionnée ne se préoccupe nullement de l'autre ; elle est égocentrée.

Si vous avez déjà vécu un moment de passion, vous savez que celle-ci n'est pas de l'amour, mais une véritable drogue.

L'amour est fait de raison et de sentiments, pas d'obsession. Le véritable amour, c'est ce que nous décidons de construire ou non après la baisse de la passion. L'amour constitue en ce sens l'objectif du couple. Pour y arriver, nous devons le décider et faire les efforts nécessaires pour le construire à travers les crises et les conflits inévitables de la vie à deux. Le véritable amour procède d'un égoïsme altruiste, non d'un égocentrisme déconnecté de la réalité. La passion du début, lorsqu'elle est présente, cimente le couple, mais il faudra beaucoup de connaissances et d'efforts pour que l'amour puisse se développer sur cette attirance instinctive. Cela en vaut la peine ou, comme dit l'un de mes amis, en « vaut la joie ».

Pour s'aimer réellement, l'homme et la femme doivent apprendre à jouer au même jeu ; chacun doit apprendre le langage de l'autre et non chercher à imposer son propre langage. De plus, chacun doit mettre en pratique les cinq langages de l'amour de l'anthropologue et conseiller conjugal Gary Chapman[1] :

---

1. Chapman, Gary, *Les langages de l'amour. Les gestes qui disent « Je t'aime »*, Gatineau, Éditions du Trésor caché, 2008.

1. Ne dire que des paroles valorisantes et d'encouragement.

2. Vivre ensemble des moments de qualité.

3. S'échanger régulièrement des cadeaux, dont le principal est le don de soi.

4. Se toucher et s'embrasser.

5. Se rendre mutuellement des services.

Tout cela est à votre portée.

Bibliographie

ANSEMBOURG, Thomas D', *Cessez d'être gentil, soyez vrai*, Montréal, Éditions de l'Homme, 2001.

BADINTER, Élisabeth, *XY, de l'identité masculine*, Paris, Odile Jacob, 1992.

BATESON, Gregory, *La nature et la pensée*, Paris, Le Seuil, 1984.

BEAUVOIR, Simone de, Tome 1 : *Deuxième sexe : les faits et les mythes ;* Tome 2 : *Deuxième sexe : l'expérience vécue*, Paris, Gallimard, 1949.

BLOOM, Howard, *Le principe de Lucifer*, Paris, Le jardin des livres, 2001.

BORMANS, Leo, *Love, Le grand livre de l'amour*, Éditions de l'Homme, 2013.

BORMANS, Leo, *Happiness, Le grand livre du bonheur*, Montréal, Éditions de l'Homme, 2011.

BRACONNIER, Alain, *Le sexe des émotions*, Paris, Odile Jacob, 1996.

BRILLON, Monique, *Ces pères qui ne savent pas aimer et les femmes qui en souffrent*, Éditions de l'Homme, Montréal, 1999.

BRIZENDINE, Dr Louann, *Les secrets du cerveau féminin*, Paris, Bernard Grasset, 2006.

BUTLER-BOWDON, Tom, *50 classiques de la psychologie*, Montréal, Éditions de l'Homme, 2010.

CARTER, J. et SOKOL, J., *Ces hommes qui ont peur d'aimer*, Paris, J'ai lu, 1994.

CHAPMAN, Gary, *Les langages de l'amour. Les gestes qui disent « Je t'aime »*, Gatineau, Éditions du Trésor caché, 2008.

CHAREST, Rose-Marie, *La dynamique amoureuse, entre désirs et peurs*, Montréal, Bayard Canada, 2008.

CHESLER, Phyllis, *Woman's Inhumanity to Woman*, Penguin Books, Plume, 2003.

CLOZEL, Claire-Marie, *Pourquoi les petits garçons ne sont pas des petites filles... Un secret bien gardé*, Montréal, Éditions Triptyque, 2007.

COLLINS, K., «New economy friendship», *Working Woman*, 16 septembre 2000.

DALPÉ, Yves, *L'infidélité n'est pas banale*, Montréal, Éditions Québec-Livres, 2012.

DeANGELIS, Barbara, *Les secrets sur les hommes que toute femme devrait savoir*, Montréal, Edimag, 1993.

DELIS, Dean et PHILLIPS, Cassandra, *Le paradoxe de la passion*, Paris, Robert Laffont, 1992.

DOYLE, Laura, *The Surrendered Wife, A Practical Guide to Finding Intimacy, Passion, and Peace with a Man*, New York, Simon & Schuster, 2001. (NDA : Je suggère fortement la lecture de l'original plutôt que sa version française dont le titre ne rend pas justice à l'auteure : *Femmes soumises, ou comment garder son mari en lui disant toujours oui*, First Editions, Paris, 2001.)

DSM-5 : *Diagnostic and Statiscial Manual – Revision 5*. Ce *Manuel diagnostique et statistique des troubles mentaux* est publié par l'Association américaine de psychiatrie depuis 1994.

DURDEN-SMITH, Jo et DESIMONE, Diane, *Le sexe et le cerveau. La réponse au mystère de la sexualité humaine*, Montréal, La Presse, 1985.

ELLIS, Cose, *A Man's World*, Canada, Harper-Collins, 1995.

FARRELL, Warren, *The Myth of Male Power: Why Men Are the Disposable Sex*, New York, Simon & Schuster, 1993.

FEIN, Ellen et SCHNEIDER, Sherrie, *Les Règles. Secrets pour capturer l'homme idéal, Comment attraper un mari en 35 leçons*, Paris, Albin Michel, 2007 (1995).

FISHER, Helen, *Histoire naturelle de l'amour, Instinct sexuel et comportement amoureux à travers les âges*, Paris, Robert Laffont, 1994.

FREEMAN, Dan, *Le cerveau du bien et du mal. 7 raisons de développer une conscience nouvelle*, Montréal, Éditions Québecor, 2007.

GEARY, David C., *Hommes, femmes. L'évolution des différences sexuelles humaines*, Belgique, DeBoeck Supérieur, 2003. Traduction de *Male Female - Evolution of Human Sex Differences*.

GERMAIN, B. et LANGIS, P. et coll., *La sexualité humaine*, Montréal, ERPI, 2009.

GINGER, S. & Al., *La Gestalt, une thérapie du contact. Hommes et Groupes*, Paris, Marabout, 2000.

GINGOLD, Alfred, *Fire In The John: The Manly Man In The Age Of Sissification*, New York, St. Martin's Press, 1991.

GIROUX, Michel, *Psychologie des gens heureux*, Montréal, Éditions Québec-Livres, 2014.

GOLDBERG, Dr Herb, *Être homme, Se réaliser sans se détruire*, Montréal, Le Jour, 1982.

GOLDBERG, Steven, *Why Men Rule*, Chicago, Open Court Books, 1993.

GOLEMAN, Daniel, *L'intelligence émotionnelle*, Paris, Robert Laffont, 1997.

GOTTMAN, John et SILVER, Nan, *The Seven Principles for Making Mariage Work*, Orion Publishers, 2004. Ce livre est aussi disponible en français sous le titre *Les couples heureux ont leurs secrets*, Pocket, 2006.

GRANDPRÉ-MOLIÈRE, Ariette, *Comme des bêtes*, France, Hors Collection, 2005.

GRAY, John,
• *Les hommes viennent de Mars, Les femmes viennent de Vénus*, Montréal, Logiques, 1994.
• *Mars et Vénus en amour*, Montréal, Stanké, 1999.

GRIMBERT, Pierre et BILODEAU, Lise, *De l'amour à la haine*, Montréal, Éditions AdA, 2008.

HARLEY, Willard F., *Elle et lui. Combler les besoins de chacun pour une relation durable*, Brossard, Un monde différent, 2009.

HENDRIX, Harville, *Le défi du couple*, Laval, Modus Vivendi, 1994.

JANOV, Arthur, *La biologie de l'amour*, Monaco, Éditions Le Rocher, 2001.

JOHNSON, Olive Skene, *The Sexual Spectrum, Exploring Human Diversity*, Vancouver, Raincoast Books, 2004.

KIMURA, Doreen, *Cerveau d'homme, cerveau de femme?*, Paris, Odile Jacob, 2000.

KLEIN, Stefan, *Apprendre à être heureux. La neurobiologie du bonheur*, Paris, Robert Laffont, 2002.

KRUGER, Daniel, «Evolved foraging psychology underlies sex. Differences in shopping experiences and behaviors», dans *Journal of Social, Evolutionary, and Cultural Psychology*, décembre 2009.

LANGIS, Pierre, *Psychologie des relations intimes. L'amour et le couple*, Montréal, Bayard Canada, 2005.

LANGIS, Pierre, BERMAIN, Bernard, DALLAIRE, Yvon, NORMANDEAU, Diane et ROSS, Mariève, *La sexualité humaine*, Saint-Laurent, Éditions du Renouveau pédagogique, 2009.

LE VAY, Simon, *Le cerveau a-t-il un sexe?*, Paris, Flammarion, 1994.

LEDOUX, J., «Émotion, mémoire et cerveau», *Pour la science*, n° 202, p. 50-57.

MACCOBY, Eleanor et JACKLIN, Carol, *The Psychology of Sex Differences*, Stanford, Stanford University Press, 1974.

MACLEAN, Paul D., *Les trois cerveaux de l'homme*, Paris, Robert Laffont, 1990.

MENDELL, Adrienne, *Travailler avec les hommes: les règles du jeu. Tout ce qu'une femme doit savoir pour réussir dans un monde d'hommes*, InterÉditions/Masson, Paris, 1997.

MINTO, Arlo Wally, *Tous ensemble, tous différents! Le secret des complémentarités dans le couple et dans la vie*, Genève, Jouvence, 2007.

MORRIS, Desmond, *La femme nue*, Paris, Calmann-Lévy, 2005.

NAZARE-AGA, Isabelle, *Les manipulateurs et l'amour*, Montréal, Éditions de l'Homme, 2013.

NORWOOD, Robin, *Ces femmes qui aiment trop*, Montréal, Stanké, 1986.

PAQUIN, Serge, *L'homme whippet*, Québec, JCL, 2004.

PARISSE – LEGRAIN, Laetitia, *Les 15 semaines qui vont changer votre vie de couple. L'harmonie au travers d'exercices efficaces et ludiques*, Bruxelles, Mols, 2016.

PEASE, Allan et Barbara, *Pourquoi les hommes n'écoutent jamais rien et les femmes ne savent pas lire les cartes routières*, Paris, First Editions, 2001.

PORTELANCE, Colette, *La liberté dans la relation affective*, Montréal, Cram, 1996.

PROULX, Mario (sous la direction de), *La planète des hommes*, Montréal, Bayard Canada, 2005. Ce livre a donné lieu à une série d'émissions disponible à la radio de Radio-Canada à www.radio-Canada.ca/radio/profondeur/hommes.

PSALTI, Iv, *Migraine ou gros câlin ?*, Paris, J'ai lu, 2008.

PSALTI, Iv, *Sexe : savez-vous vous y prendre avec les hommes ? Secrets et vérité sur le sexe des hommes à l'usage des femmes !,* Bruxelles, Ixelles éditions, 2011.

ROBERT, Jocelyne, *Le sexe en mal d'amour*, Montréal, Éditions de l'Homme, 2005.

SCHNARCH, David, *Passionate Marriage, Keeping Love and Intimacy Alive in Committed Relationsships*, Henry Holt and cie, New York, 1997.

SCIUTO, Graziella, *Comprendre les hommes pour ne plus les faire fuir*, Liège, Edipro, 2017.

SOLANO, Catherine, *Les trois cerveaux sexuels. Entre pulsion, affection et réflexion : comment vivre sa sexualité*, Paris, Robert Laffont, 2010.

TANENBAUM, Joe, *Découvrir nos différences entre la femme et l'homme*, Montréal, Éditions Québecor, 1992.

TANNEN, Deborah, *Décidément, tu ne me comprends pas, Comment surmonter les malentendus entre hommes et femmes*, Paris, Robert Laffont, 1990.

THIBODEAU, Richard, *Votre vie, reflet de vos croyances*, Montréal, Éditions Québecor, 2007.

TURCHET, Philippe, *Les codes inconscients de la séduction*, Montréal, Éditions de l'Homme, 2004.

WARE, Bronnie, *Les 5 regrets des personnes en fin de vie*, Paris, Guy Trédaniel éditeur, 2013.

WILSON-SCHAEF, Anne, *Ces femmes qui en font trop*, Laval, Modus Vivendi, 1997.

WRIGHT, John, *La survie du couple*, Montréal, Le Jour, 1990.

ZELINSKI, Ernie, *L'art de ne pas travailler*, Montréal, Stanké, 2004.

Remerciements

La publication d'un livre résulte des efforts concertés de nombreuses personnes. L'auteur en est certes le personnage central, mais sans éditeur, sans diffuseurs et sans libraires, son message resterait virtuel. Mes premiers remerciements vont donc à tous ces gens qui, dans l'ombre pour la plupart, travaillent au succès d'un livre.

Je remercie aussi tous les chercheurs et auteurs qui, avant moi, se sont penchés sur les relations homme-femme afin de m'en faire découvrir la richesse. La majorité de ces auteurs se retrouvent dans ma bibliographie.

Mes clients et les participants à mes divers ateliers sont une autre source qui m'a permis de colliger et de mettre à l'épreuve plusieurs des informations et de stratégies décrites dans ce livre. À tous et à toutes, merci infiniment de m'avoir fait confiance en vous révélant à moi dans l'intimité de mon bureau ou lors d'échanges en ateliers, et d'avoir confirmé nombre d'hypothèses sur les relations homme-femme.

Merci aux multiples organisateurs de mes conférences et activités tant au Québec que lors de mes tournées en Europe. Merci à tous les journalistes qui ont fait écho de mes propos lors de leurs émissions radio ou télé ou dans les pages de leurs magazines.

Je remercie également ma compagne de vie, Renée Bérubé, de tous ses commentaires souvent élogieux et parfois critiques de mes idées et écrits.

Merci à Paul Dewandre d'avoir si bien rendu les différences homme-femme lors de ses spectacles accessibles à un grand public et d'avoir accepté de signer la préface de ce livre.

Enfin, merci d'avance à tous ceux et celles qui me feront parvenir leurs commentaires.

À propos de l'auteur

Psychologue, auteur, conférencier et formateur, Yvon Dallaire est reconnu au Québec et en Europe comme spécialiste des relations homme-femme. Il pratique la thérapie conjugale et sexuelle depuis 1978. Il est chroniqueur pour divers médias écrits et participe régulièrement à des émissions de radio et de télévision.

Il organise fréquemment des conférences publiques et des ateliers pour couples et célibataires tant au Québec qu'en Europe francophone (France, Suisse, Belgique et DOM-TOM). Il est le créateur de la formation en thérapie conjugale positive (FTCP) qu'il enseigne aux intervenants en relation d'aide. Sa formation est reconnue par l'Ordre des psychologues du Québec (OPQ) et par l'Ordre des travailleurs sociaux et des thérapeutes conjugaux et familiaux du Québec (OTSTFCQ) : www.fpsp.eu.

Yvon Dallaire est l'auteur d'une trentaine d'ouvrages sur les relations homme-femme, dont une trilogie sur le bonheur conjugal. Son livre *Qui sont ces couples heureux ?* a été sélectionné par le magazine français *Psychologies* comme l'un des cinquante livres qui changent une vie. *Qui sont ces femmes heureuses ?* et *Qui sont ces hommes heureux ?* complètent cette trilogie à succès.

Pour être tenu au courant de ses prochaines activités, publications et formations, inscrivez-vous à son infolettre gratuite en consultant son site personnel à www.yvondallaire.com.

Vous pouvez communiquer directement avec l'auteur pour l'organisation de conférences, d'ateliers ou de programmes de formation dans votre localité ou pour votre organisme partout dans la francophonie : info@optionsante.com.

Table des matières

Préface : Vivre avec une femme 9

Avant-propos : La thérapie conjugale positive 11
    Votre satisfaction conjugale 12

Introduction : À qui s'adresse ce livre ? 15

Chapitre 1 : Vous investir ou non dans votre couple 19
    Êtes-vous un homme au comportement défensif ? 20
    Renoncez aux relations toxiques 24

Chapitre 2 : La féminité saine et malsaine 29
    Identité, rôles et fonctions sexuelles 30
    Portrait de la féminité 33
    La féminité saine 36
    La féminité malsaine (–) 40
    La féminité malsaine (+) 42
    Le choix de l'homme heureux 44

Chapitre 3 : Le fonctionnement de la femme 47
    L'énergie femelle 48
    La gestion de l'énergie 51
    La sexualité féminine 53
    Le cerveau de la femme 60
    L'intelligence féminine 68
    Les quatre modes de perception du monde 70
    L'hérédité femelle 76

La pensée féminine 82

La communication au féminin 87

La vie émotive des femmes 93

Le travail 98

Le choix de l'homme heureux 102

Chapitre 4 : Les renoncements nécessaires des hommes 105

Pourquoi tant de femmes quittent-elles leur partenaire ? 105

Les deux choix des hommes 108

Exister sur le plan subjectif 110

Laisser tomber la justification et la défensive.................. 112

Cesser d'offrir des solutions 115

Entretenir la réalité féminine... 116

Accepter la « mamante » qui existe en toute femme............ 118

Le choix de l'homme heureux 120

Chapitre 5 : Les attentes légitimes des femmes....................... 123

L'illusion Playboy 123

Les comportements machos, ou la peur des femmes.......... 126

Le respect de sa féminité.. 128

Des marques d'attention 129

La dévotion 130

La valorisation sentimentale.. 131

Le choix de l'homme heureux 132

Chapitre 6 : Les cinq besoins conjugaux fondamentaux

des femmes 133

La banque d'amour... 133

La satisfaction de ses besoins affectifs 136

La communication verbale.. 139

L'honnêteté et la transparence.. 140

La sécurité financière 143

L'engagement 144

Le choix de l'homme heureux 146